ENNEAGRAM

내 삶을 변화시킨
에니어그램

김진희 | 최승희 | 정민지 | 이송이 | 최덕근 | 김희수 | 윤찬숙

진짜 나를 알아가는 시간

나답게 행복한 삶을 살고 싶은 이세상
모든 '나'들에게 에니어그램을 전합니다
너와 나의 변화와 성장

BOOKK

내 삶을 변화시킨 에니어그램

발 행 | 2024년 06월 26일

저 자 | 김진희 최승희 정민지 이송이 최덕근 김희수 윤찬숙

펴낸이 | 한건희

펴낸곳 | 주식회사 부크크

출판사등록 | 2014.07.15.(제2014-16호)

주 소 | 서울 금천구 가산디지털1로 119, SK트윈타워 A동 305호

전 화 | 1670 - 8316

이메일 | info@bookk.co.kr

ISBN | 979-11-410-9152-1

www.bookk.co.kr

ENNEAGRAM

내 삶을 변화시킨
에니어그램

김진희 | 최승희 | 정민지 | 이송이 | 최덕근 | 김희수 | 윤찬숙

진짜 나를 알아가는 시간

BOOKK

프롤로그

에니어그램이라는 거울

김진희

한국에니어그램경영협회 대표

에니어그램이라는 거울에 비춰지는 모습을 통해 나를 알아간다.

소태나무 쓴맛보다 더 쓴맛은 인생의 쓴맛이다. 갤러리 운영 실패는 지금까지 느껴보지 못한 쓴맛을 보게 했다. 왜 나에게 이런 시련이 왔는지 하늘을 원망하고 사람을 미워했다. 구렁텅이에 빠져 벗어나려 발버둥 치면 칠수록 내 몸은 점점 가라앉는 것 같았다. 밑바닥에 딱 달라붙은 껌 딱지처럼 어둠에서 벗어날 수가 없었다. 분노와 자책의 삶은 사는 게 사는 게 아니었다. 이러다 정말 죽을 것 같았다. 지푸라기라도 잡는 심정으로 딱 3개월만 공부해보자 했던 사람공부가 3년간 이어졌다.

스승님을 만나 시작한 호흡 수행과 마음공부는 지금까지 한 번도 생각해보지 않았던 나 자신을 보게 했다. 절벽처럼 느껴졌던 거부감은 어느 순간 연기처럼 스르르 사라지기 시작하면서 무의식적으로 감추고만 싶었던 나의 내면을 드러냈다. 보고 싶지 않았던 나 자신을 직면하기 시작했다. 인정하고 수용할수록 마음은 편안해졌다. 조금씩 나의 내면이 단단해지는 것을 발견할 수 있었다.

나도 이제 세상으로 나갈 힘이 생겼다. 용기는 다시 도전하고 싶다는 욕망에 불을 지폈다. 초심으로 무엇이든 배우기 위해 강남 한복판 교육장에 발을 디뎠다. 어느 봄날 운명처럼 나는 그곳에서 '에니어그램(Enneagram)'이라는 심리학적 도구를 만났다.

스승님의 여러 가르침 중 '집착'을 내려놓으라는 화두는 나에게는 도무지 다가설 수 없는 요원한 말로 내 마음속에

맴돌기만 한 상태였다. 그런데 에니어그램 성격 유형의 핵심 키워드가 '집착'이라는 말을 듣는 순간 나는 에니어그램 공부를 하면 그동안 풀리지 않았던 문제가 풀어질 것 같은 느낌에 이끌렸다.

나는 미친 듯이 에니어그램 공부에 집중했다. '나' 자신에 대한 공부는 때때로 천당과 지옥을 맛보게 해줬다. 의심과 실망감을 느끼면서도 나에 대해 하나씩 알아가는 기쁨도 누렸다. 더 나아가 성격의 메커니즘을 이해함으로써 거짓자아인 성격에서 벗어나 자신의 진정한 본성(신성, 본질, 참나)과 접하는 것이 에니어그램 공부 목적이라는 사실도 인식했다.

그동안 성격이라는 에고(ego)에 휘둘렸던 원인은 내가 나를 몰랐기 때문이다. 나의 본성, 즉 '내 몸(나) 생김'에 대해 몰랐고 나의 진면목을 몰랐다는 것이 모든 문제의 원인이다. 자기 자신의 진실을 모르고 오해함으로써 끊임없이 밖에서 채워야 한다고 잘못 생각했다. 집착하면 할수록 거짓자아에 휘둘린다는 것을 알게 되었다.

내 존재를 결핍자라고 오해해 밖에서 채워야한다는 착각이었다. 도대체 나라는 존재는 이미 완전한데, 이미 내 안에 모든 것이 있는데 왜 채워야 한다고 집착했지? 하는 순간 갑자기 온 세상이 빛으로 환해졌다. 하늘이 이토록 아름다웠던가! 모두가 사랑이고, 내 옆에 있는 사람도 사랑스러웠다. 화단에 핀 꽃도 나무도 아름다웠다. 모든 것이 기쁨이었다. 너무나 충만하고 행복한 순간이다. 그동안 뭔지 모를 것에 짓눌렸던 답답한 마음이 눈 녹듯 사라졌다. 그 어떤 생각도 떠오르지 않았다. 환하게 웃었다. 모든 것이 온전했다. 그저 감사하고 좋았다.

가슴 가득 벅차오르는 느낌은 집에 돌아오는 길에도 계속 남아있었다. 나는 이 느낌을 계속 느끼고 싶었다. 본질체험을 하고 싶었다. 호흡 수행에 더 집중했다. 물론 순간순간 에고에 휘둘려 집착할 때 '이미 있는데 또 밖에서 찾으려고 집착하고 있었구나' 하고 알아차리면 마음은 편안해졌다. 나의 내면 깊숙한 곳에서 벅차오르는 것을 느꼈다. 이것이다. 우리는 이미 내 안에 다 있다. 최고로 좋은 것이 있다. 사랑으로 꽉 차있다. 이것이 진짜 나의 모습이다. 이미 받은 사랑으로 이 세상에 사랑을 펼치고 사는 것이 나답게 사는 것이다.

이런 나의 깨달음은 에니어그램 교육에 날개를 달아주었다. 시간이 흐를수록 다른 사람들이 변화하고 성장하는 모습을 보며 기뻐하는 나를 발견했다. 행복했다. 보람찼다. 우와! 나는 이렇게 모든 사람들이 자기답게 살 수 있도록 돕는 것이 나의 사명임을 알았다. 에니어그램을 통해 깨달은 삶의 지혜와 체험한 것을 전할 수 있는 여유와 힘을 가지게 되었다.

나는 지금도 에니어그램을 전하며 기쁨과 설렘으로 살아가고 있다. 앞으로도 사람들에게 힘을 주고 용기를 주며 참 좋은 세상 살아갈 만하다고 말하며 나누고 살아가려한다.

진짜 나를 몰라 방황하며 사는 사람들에게 전하고 싶다. 이미 빛나는 사랑으로 가득 차있는 당신, 더 이상 밖에서 찾지 말라고. 우리 모두는 부모의 영원한 사랑받고 태어난 완전자라는 사실을 전한다. 이 사실을 알면 되는 것이다. 알게(知) 되면 문제가 풀린다는 사실을 내가 내 감정으로 체험했다. 좋다. 편안하다. 이제 '내 몸의 생김'을 알고 진짜 나를 아는 것이 유일한 치유방법이라는 사실을 배워(學) 알면 된다. 알면 그 앎대로 사는 존재가 사람이다. 이미 받은 사랑으로 이 세상에 사랑을 펼치고 사는 것이 우리의 진짜 모습이다.

누군가의 깨달은 진솔한 삶의 이야기는 사람들에게 큰 힘이 된다. 자신도 그와 같은 경험을 했기에 위로 받는다. 에니어그램과 동행하며 알아차린 삶의 이야기를 더 많은 사람들과 나누고 싶어 강남구가족센터 드림아카데미 에니어그램 강사과정 3 기 선생님들과 이 책을 출간했다.

출간할 수 있도록 초석을 놓아준 강남구가족센터 권요안 센터장님께 감사드린다. 올해로 3 년째 드림아카데미 에니어그램강사과정 프로그램을 기획한 가족교육팀장님과 이하영 교육담당자에게 감사드린다. 무엇보다 에니어그램 인생 책쓰기 과정 1 기로 참여하신 최승희, 정민지, 이송이, 최덕근, 김희수, 윤찬숙 선생님께 이 기쁨을 함께하고 싶다.

삶의 문제로 고민하는 당신에게 '내 삶을 변화시킨 에니어그램' 저자들이 들려주는 이야기가 위로가 되어 다시 시작하는 힘이 되었으면 하는 마음으로 '내 삶을 변화시킨 에니어그램' 책을 전하고 싶다.

2024 년 6 월

김진희

좋은 글에는 좋은 향기가 있습니다

권요안

강남구가족센터장

아름다운 삶의 이야기가 담긴 '내 삶을 바꾼 에니어그램' 출간을 진심으로 축하드립니다. 강남구가족센터에서 경력단절 여성의 사회 재참여 역량강화 프로그램으로 시작된 "에니어그램 자격과정 드림아카데미"가 벌써 3년차를 맞이하고 있습니다.

다양한 사람들의 성격심리 특성을 이해하여 자격증을 취득하는 과정으로 개설했지만, 많은 참가자 분들이 오히려 내 삶을 뒤돌아보고, 나를 이해하고, 변화시켜준 최고의 프로그램으로 칭찬해주셨습니다. 먼저 이 자격 과정에 참여해주신 모든 여성 참가자분들과 수준 높은 강의를 진행해 주신 한국에니어그램협회 김진희 선생님께 감사를 드립니다.

좋은 글에는 좋은 향기가 있습니다.

에니어그램 프로그램에 참여해주셨던 분들이 작지만 따뜻한 것, 소박하지만 아름다운 삶의 이야기를 직접 집필해주셨습니다.

어떻게 살아가는 게 참다운 삶인지, 어떻게 살아야 아름다운 삶인지, 허황된 꿈을 꾸며 방황하고 갈등하는 이들에게 인간의 정을 담은 삶의 이야기들이 얼마나 우리의 일상을 풍요롭게 하고 살 맛나게 하는지 다시금 생각하게 합니다.

'내 삶을 변화시킨 에니어그램' 이야기는 나에 대한 고마움을 신선한 시각으로 그려 주고 있습니다. 잔잔하고 단단하게 세상살이의 고랑을 파고 일궈내는 감수성에 고개를 숙입니다.

거듭 축하드리면서 한 편 한 편 모두를 섭렵하여 마음의
양식으로 삼겠다는 말씀을 올립니다. 감사합니다.

목차

자신을 아는 것이
지혜의 시작이다

소크라테스

Episode 1

삶의 이해를 도와준 에니어그램

최승희

삶의 이해를 도와준 에니어그램

최승희

"에니어그램은 중장년에게

참된 모습과 조화로운 관계를 찾는 내비게이션이다"

틀린 것이 아닌 '다르다'라는 깨달음을 준 에니어그램

에니어그램을 알게 된 것은 정말 큰 행운이었다. 30년 넘는 공직 생활을 마치고 가정에 더 집중하게 되면서 에니어그램이 나를 이해하고 균형을 찾는 데 큰 도움이 되었다. 에니어그램을 통해 나와 가족, 특히 자녀들의 성격을 깊이 이해하게 되었고, '다르다'는 깨달음을 얻었다. 나와 아이들을 더 잘 이해하면서 양육 방향도 찾을 수 있었기에, 에니어그램은 자기와 타인을 이해하는 최고의 도구라고 생각한다

내적 성장과 변화의 여정

어린 시절, 나는 초대 시의원이었던 아버지가 다음 선거에 낙선하며 집을 잃었고, 오빠는 소아마비를 앓고 있어서 부모님이 나를 돌볼 겨를이 없었다. 그래서 나는 항상 사랑에 대한 갈망이 컸던 것 같다. 맏딸로서 어려운 환경의 영향을 가장 많이 받으며 돌봄의 부재를 겪었다.

첫 기억은 할머니 등에 업혀 예쁨을 받던 순간이다. 이런 가정환경은 나를 돌봄과 인정에 집착하게 만들었고, '자신의 가치를 다른 사람의 수용과 도움으로 인정받으려 하는' 성격을 형성했다. 또 다른 특성으로는 항상 남을 도와야 한다는 믿음이 강했고, 돌봐 줘야 마음이 편했다. 특히 친구의 금융 대출 부탁을 거절하지 못해 20여 년이 지난 지금도 해결되지 않은 숙제로 남아있다. 또한, 가족에게 음식을 제공할 때 맛있다는 평가를 기대하고, 그 말을 듣지 못하면 서운

해했다.

에니어그램을 알고 난 후, 자신의 욕구와 필요를 먼저 이해하게 되면서 거절 표현도 할 수 있게 되었고, 가족이나 타인의 인정에 기분이 좌우되지 않게 되었다. 더 이상 내 기분이 다른 사람의 반응에 좌우되지 않고, 그들의 선택을 그들의 몫으로 여기게 되어 감사하다.

항상 부족한 점에 초점을 맞추고 더 나은 것을 추구하던 삶에서 벗어나 자신을 존중하고 챙기며 나에게 고마움을 느끼게 된 것은 건강한 관계를 유지하는 데 매우 중요했다. 이를 위해 아침마다 '나는 나를 사랑해', '나는 모든 면에서 점점 더 좋아지고 있다', '나는 나에게 고마워'라는 확언으로 하루를 시작한다.

또한 타인에게 의존하려는 경향이 있어서 만남을 통해 에너지를 충전 받으려 했던 특성도 있었다. 특히 고립감을 힘들어했는데, 출산 후 산후 우울증으로 힘들었던 경험이 있다. 집 주변에 친척이나 지인이 없는 상황에서 무더운 여름날, 아기와 나 자신만이 산후 상황을 헤쳐 나가야 했기에 감정이 폭발하여 출근하는 남편에게 친정에 데려다 달라고 울며 막무가내로 떼를 쓴 기억이 있다. 성격 공부를 통해 인간

관계의 단절에서 오는 고립감과 육아 돌봄의 어려움이 원인임을 알게 되었다.

에니어그램을 통해 성장 방향을 알게 되어, 하루 일과 중 내적 성장을 위한 시간과 집중하는 시간을 가지며 미라클 모닝 독서와 낭독 독서에 참여하고 있고 독서 모임도 주관하게 되었다. 주도성과 독립심이 생겨 혼자만의 시간이 두렵지 않게 된 것은 깨달음의 큰 혜택이라 말할 수 있다.

중재자 아들과 성취자 딸의 맞춤식 교육

엄마인 나는 교육에 대한 열정이 컸고, 교육 관련 기관에서 근무한 경험 덕분에 남다른 교육 욕구도 갖게 되었다. 매일 아침 출근 후에는 교육 관련 기사를 스크랩하고 유용한 내용을 공유하며 교육 트렌드를 예측하는 데 주력했다. 특히 아이의 대입을 위해 수·과학적 능력이 중요하다고 생각하여, 서울과학관의 생물 탐구교실 과정 강좌를 수강하면서 아이의 과학에 대한 호기심을 키웠다. 유아기부터 초등학교까지 꾸준히 탐구교실의 다양한 체험을 통해 아이는 과학에 적응하고 특기로 자리 잡아 교육청 영재학급 선발의 혜택을 받으며 특별 수업을 받을 수 있었다. 이러한 과정은 아들이 갈등을 회피하고 주어진 환경에 묵묵히 따르는 성격 덕분에 가능했으리라 생각한다.

엄마로서 나는 교육적으로 좋은 환경을 제공하려고 노력했지만, 에니어그램을 배우기 전에는 아들이 느리고 만사태평하며 방을 어지럽히는 것을 이해하지 못했다. 아침마다 깨우는 일이 힘들었고, 방을 정리하지 않는 모습을 보고 마음을 태웠다. 에니어그램을 통해 아들의 유형을 이해한 후, 과거에 잔소리했던 엄마를 용서해 달라고 진심으로 말하고 싶은 심정이다.

아들은 초등학교 2학년부터 6학년까지 학급 반장과 전교 부회장 역할을 잘 수행했지만, 중학생이 되자 반장 선출에 나가지 않겠다고 했다. 고교 입시와 대입에서 리더십이 중요한 평가 요소임에도 불구하고 아들의 결정을 존중할 수밖에 없었다. 나중에 알게 된 사실은, 중학생이 되면서 자아가 강해져 학교와 교사 입장 대 학생들의 입장 차이에서 겪게 될 반장의 역할이 부담스러웠을 것으로 생각되었다.

아들이 선택한 고등학교에 진학한 후, 생명과학 동아리 활동을 통해 대외 공모에서 수상하고 동아리 회장을 맡으며 리더십을 발휘했다. 이러한 경험 덕분에 원하는 대학에 입학하고 4 년간의 장학생 영예를 얻었다. 아들이 고등학교를 기숙사 있는 학교로 택한 것도 예민한 시기에 가족과의 갈등도 적은 안정적인 환경을 찾으려는 선택이었다고 생각된다.

아들이 군 제대 후 독립적인 공간을 마련해 자취하겠다고 했을 때 그 결정을 존중한 것도 에니어그램을 통한 깨달음 덕분이다. 아들의 자율성과 독립에 대한 욕구를 이해하고 인정하게 되었고, 결국 분가로 인해 더 긍정적인 관계를 유지하며 서로 지지하고 있다.

딸에게는 인정과 칭찬이 중요하다. 할머니와 아빠가 오빠를 더 챙기는 모습을 보며 비교의식과 경쟁심을 가졌고, 엄마로서 딸에게 충분한 인정과 칭찬을 해주지 못한 것에 늘 미안함을 느꼈다. 딸은 성장 과정에서 오빠와 비교당하는 것을 견디며 칭찬받고 눈에 띄기 위해 노력했다.

딸은 영어 발음이 좋고 선생님께 칭찬도 많이 받아 말하기 대회나 동화구연에서 좋은 성과를 냈다. 인문적인 성향이 강해 고등학교 2 학년 때 이과에서 문과로 전향하기로 했을 때 딸의 선택을 존중했다. 정서적 연결을 중요시하는 딸을 위해 둘만의 시간을 갖고 외식이나 영화를 보며 공감을 넓히려 노력했다. 에니어그램을 통해 딸을 이해한 덕분에 가능했던 일이다.

마찬가지로 딸의 성격적 특성을 이해하여 연합 동아리 활동을 적극 지지한 결과, 딸은 인턴 생활을 통해 유용한 경험을 쌓았다. 엄마로서 딸과 자주 소통하며 협력하고 딸이 성장할 수 있는 환경을 지지했다. 딸은 주말 아르바이트를 하며 마지막 학기를 마친 후 호주 워킹홀리데이 계획을 실천 중이다. 엄마가 딸의 의견을 존중하고 적극적으로 지지 보내며 성과를 낼 수 있는 건강한 관계를 유지하고 있음에 참 감사하다.

사람 중심 싹싹이

내 인상은 밝고, 미소 띤 얼굴로 먼저 인사를 건네며 사람들과의 관계에서 긍정적이고 친절한 태도를 유지하고 있다. 상대방의 니즈를 잘 파악하고 그들의 요구에 최대한 맞추려 노력하는 것도 한 특징이다.

사회 초년생 시절, 과장님은 공적이든 사적이든 필요한 일이 있으면 나를 찾아 부탁하곤 하셨다. 출근도 과장님보다 일찍 해서 주변을 정리하고 근무 준비를 마쳤으며, 복사나 기타 작은 일도 내가 해 드리면 더 좋아하셨다. 크리스마스카드 선택에서도 내가 고른 카드가 마음에 든다고 하셨고, 과묵한 성격에도 불구하고 그분의 필요를 알아차리고 최선을 다해 부응하려는 내 태도가 큰 무기였다.

직장에서 맡은 업무가 부서의 필요를 지원하고 도와주는 일이어서 보람을 느끼며 즐겁게 일할 수 있었다. 타인의 욕구를 우선시하는 경향 때문에 내 일은 업무 시간이 지난 뒤 차분히 처리하는 경우가 많았고, 친절한 태도 덕분에 평판도 좋았다. 하지만 팀장이 된 후에도 타 부서의 요구를 우선시하다 보니 팀원들의 불만을 사게 되었다. 그런 과정에서 공감 능력을 발휘하여 무리한 요구는 절충하고 이해를 구하면서 해결해 나갔다.

에니어그램을 통해 내 강점과 약점을 인식하고 타인의 도움을 받으며 균형 잡힌 삶을 사는 것이 중요함을 깨달았다. 사람들과의 만남을 통해 에너지를 얻고 소모임이 많은 이유도 이해했다. 퇴직 후 자기 계발을 위해 낭독 독서모임을 시작했고, 처음에는 혼자 운영하다가 회원들이 돌아가며 운영을 맡도록 해 다양한 체험과 운영의 묘를 살렸다.

다른 사람의 욕구를 우선시하다 보니 소비도 많았다. 밥값과 술값, 선물비 지출이 많았고, 보험 가입도 지인의 권유로 하는 경향이 있었다. 에니어그램을 이해한 후에는 상대의 베풂을 자연스럽게 받아들이고 지출을 결정하며 일과 개인적 감정을 구분할 수 있게 되었다.

직장에서 회식 때 기관장이나 부서장 옆에 앉아 인사하러 오는 사람들의 업적이나 장점을 부각시켜 양쪽 모두에게 좋은 인상을 주는 나를 발견했다. 기관장 부속실 직원과 친하게 지냈던 일과, 자녀 학교에서도 중심인물과 친분을 유지하며 지냈던 사실에서도 이면에는 중요한 결정에 내 의사가 반영되도록 하기 위함이었던 것 같다.

나는 직장에서 동료나 상사들과의 상호작용을 중요시하고, 타인에게 도움을 주는 것을 좋아했다. 카톡 단톡방의 댓글에 반응이 없으면 소통의 단절로 여기는 경향이 있고, 개인 톡에 답이 없어도 관계가 소원한 것으로 느끼곤 한다. 그러나 에니어그램을 통해 소통을 중요시한다는 것을 깨달아의식적으로 공감 표현을 요구하기도 하며 오해가 없도록 노력하고 있다.

하지만 사회생활에서는 능력이 중요하므로 자신의 역량

을 인정하고, 자기 발전에 주의를 기울여야 한다. 감정이나 소통에 너무 연연하지 말고 자신의 가치를 존중히 여길 수 있도록 자질을 향상시키려는 태도가 필요하다고 생각한다.

성공적인 중장년의 삶을 위한 에니어그램

중장년에게 에니어그램은 자신을 알고 조화롭게 살아가는 지혜를 담고 있어 매우 중요하다. 인생의 전반기 동안 생계를 위해 열심히 살아왔다면, 중장년에는 인생의 두 번째를 대비해 무엇을 준비하고 어떻게 살아야 하는지에 대해 고민해야 한다. 에니어그램은 성격과 인격을 이해하고 성숙해지기 위한 노력에 큰 도움이 된다. 특히 자신과 가족을 이해하고 좋은 관계를 유지하는 데 있어서 에니어그램의 지혜가 훌륭한 나침반이 되어 남은 인생을 행복으로 이끌어 줄 것이다.

부부 갈등과 황혼 이혼의 주요 원인이 성격 차이와 소통 부족이라고 한다. 이러한 문제가 점점 더 증가하고 있는 상황에서, 에니어그램을 통해 자신을 알고 가족을 더 잘 이해하여, 소통법을 터득한다면 행복한 노후를 보낼 수 있다. 가족 구성원들은 서로 다른 성향과 가치관을 가질 수 있다. 이러한 차이를 이해하고 관용과 배려를 통해 상대방을 받아들이는 자세가 필요하다.

저에게 에니어그램의 매력을 가르쳐 준 스승이 있다. 가슴형인 아내와 장형의 남편, 서로 다른 행동 방식과 대처 방법을 이해하기 위해 시작한 공부였다. 이 공부를 통해 깨닫고 이해한 소통법으로 관계를 발전시켜 나가고 있다.

이전에는 남편에게 의존하려는 경향이 강했고, 갈등을 피하기 위해 가능한 맞추어 주며 수용하는 편이었다. 그러나 에니어그램을 통해 내 욕구와 바람을 남편에게 표현하고 조율하며 조화를 찾게 되었다. 남편의 뛰어난 점과 잘하는 점에 초점을 맞춰 인정과 칭찬을 하며, 그의 직설적이고 강한 성격을 추진력 있고 부지런하며 직감력이 뛰어난 장점으로 바라보았다. 가능한 저녁 귀가 시간에 자리를 지키고, 저녁 식사와 간식을 미리 준비해 주는 등 배려하니 평안이 찾아왔다. 이에 따라 남편도 큰 틀 안에서 보호와 자율을 보장하며 협력하는 방향으로 성장하고 있다. 에니어그램을 통해 얻게 된 가장 큰 수혜라고 생각한다.

가족과 함께 보내는 시간은 유대감을 강화하고 신뢰를 쌓는 데 도움이 된다. 인생 전반기에는 시간적인 제약이 있었으나, 후반기에는 좀 더 자율적으로 시간을 보낼 수 있다. 에니어그램을 통해 알게 된 가족의 성격과 기호를 고려한 활동을 함께하며 소통의 기회를 자주 가지는 것은 바람직하다. 이를 통해 원활한 소통과 이해를 할 수 있고, 좋은 가족 관계를 유지할 수 있는 계기가 될 것이라고 생각한다.

나의 인생 2막도 에니어그램을 통해 나 자신을 이해하고 성찰하며 성장하는 과정이었다. 자신의 욕구에도 집중하고 타인의 바람을 모두 수용하지 못하는 한계를 인정하며, 거절할 줄 아는 용기를 갖게 되었다. 이를 통해 내면의 실력을 향상하는 데 노력을 기울이고 있고, 무엇보다도 가족을 이해하게 되어 부부 관계와 양육에 큰 도움을 받았다. 덕분에 자신과 가족 모두 마음이 한결 편안해졌다.

이처럼 에니어그램은 성격을 구분하고 특성을 알려주는 데 그치지 않고, 있는 그대로의 나를 수용하고 인정하며, 타인도 다름을 인정하고 수용할 수 있는 심리적 영역을 마련해준다. 특히 중장년 시기에는 사회적으로 인간관계로 인한 위기를 자주 겪을 수 있다. 에니어그램을 통해 더 나은 인간관계를 형성하고, 행복한 여정을 이어가길 진심으로 바란다.

Episode 2

엄마와 아이 모두
행복한 에니어그램 육아

정민지

엄마와 아이 모두 행복한 에니어그램 육아

정민지

"에니어그램으로 나 자신을 돌아보고

아이를 알면 모두가 행복해진다"

육아에 고립되어 평범하고 일상적인 하루하루를 보내던 어느 여름날 에니어그램이라는 수업을 통해 '나 스스로를 이해하는 시간'을 갖게 되었다. 알 수 없는 끌림은 나를 에니어그램 배움의 과정으로 이끌었다. 에니어그램 9 가지 유형에서 나의 유형에 대한 궁금증이 생겼다. 그리고 진짜 나에 대해 알아가기 시작하였다.

나는 계획하는 것을 좋아하고 재미를 추구한다. 오늘은 뭐할까? 오늘의 반도 지나지 않아 내일 무엇을 하며 보낼지 고민한다. 아침을 먹으면서 점심엔 뭐 먹지? 같이 머릿속 생각은 늘 미래를 향하고 있다. 내가 고통을 회피한다는 것은 사실 진즉 알고 있었다. 그동안은 내가 왜 그런가에 대한 생각을 해본 적이 없다. 그런데 에니어그램을 배우고 나서 이해하게 되었다. 내가 7 번 유형에 가까운 본질적 특징이 있다는 것을 말이다. 나에 대해 알고 나니 내가 좀 더 이해가 되었다. 이제는 에니어그램으로 나의 육아를 극복하고 행복을 찾으려 한다.

내가 하고 싶은 나만의 이야기

처음에 나라는 존재에 대해 알아가는 것이 낯설기만 했다. 내면을 깊숙이 파고들지 않으려는 나의 성향 때문인 것 같다. 나 자신에게 집중하는 것이 부담스럽게 느껴졌기 때문일지도 모르겠다. 내 자신을 너무도 혹독하게 비판하고 싶지도 않았다. 나의 결점과 단점을 명확히 알게 된다는 것이 마치 거울 속에 비친 나 자신을 직시하는 것과 같은 느낌이 들었다.

에니어그램을 공부하면서 다시 한 번 느꼈지만 나는 작은 것에도 행복을 느끼는 사람이다. 내면에서 소소한 행복함을 느낀다. 그리고 무언가를 해내고 얻은 성취감을 느끼고 싶어 한다. 좋아하는 것을 누군가와 함께할 때 더욱 행복함을 느끼고 누군가와 함께할 때 더욱 충족감을 느끼는 나를 발견했다. 나는 어제보다 나은 삶을 살고 있는 지금에 감사하다. 과거의 힘들었던 기억을 바라보려 하지 않는다. 누군가 들으면 긍정적인 사람으로 볼 것이다. 힘들었던 일들을 기억하는 고통을 회피하려고 그랬던 것 같다. 에니어그램을 배우고 나니 그 결점과 단점을 피하는 것보다 나 자신의 모습을 발견하고 그 안에서 성장할 수 있는 기회를 찾으려 하게 되었다.

나는 7번 유형으로서 자연스럽게 어려운 것을 회피하고 즉각적인 즐거움을 추구하는 경향이 있다. 최근 몇 달 간은 내가 관심가진 분야에서 최선이 되고자 진득하게 하려고 노력하였다. 현재의 나의 수준과 상태를 인지하고 현실 가능한 목표를 세워야 했는데 성장하고 싶다는 의욕에 앞서 솔직하지 못한 채 임했던 것 같다. 그리고는 의욕이 상실하여 아무것도 하고 싶지 않았던 결과를 초래했다. 그래서 나는 글을 쓰기로 했다. 나의 방법은 무엇일까? 글쓰기를 통해서 마음속의 낙서들을 꺼낼 수 있을까? 나의 인생 책 출간하기 공저되기라는 목표를 세우고 하나씩 써내려 가야 한다.

나의 글쓰기 목적은 7 번 유형인 나의 부족한 점을 보완하여 '설득력 있는 글 쓰는 것'이다. 다짐을 하고 글을 쓰다가 도망치듯 다시 다른 일을 만들어 하고 있다. 그렇게 미루고 미뤄 이렇게 막바지에 하고 있는 나를 발견했다.

7 번 유형을 가진 내가 바라보는 나의 모습은 어떨까? 전문가가 되려면 거쳐가야 하는 고난과 역경의 과정을 누구보다 잘 알기에 쉽게 시도하지 않으려 한다. 어쩌다 보니 에니어그램을 배웠고 전문가과정도 마스터했다. 자기성찰을 했으니 의식성장을 해야 하는 것은 당연하다. 5 번의 에니어그램 유형은 나의 발전방향이다. 5 번이 갖고 있는 전문가 성향이 되고 싶지만 너무 막연했다. 타고난 게으름과 일이나 사물을 대하는 습성이 너무나도 다르다. 주체적인 삶을 살아본 적이 없어서일까? 내가 나를 제대로 들여다 본적이 없는 걸까? 에니어그램을 수업을 듣고 스스로 성장하고 있다고 느꼈었다. 아직도 자만심에 빠져 있는 나를 바라보며 성

장하기 싫다고 징징거려본다.

에니어그램을 알고 나서 나의 부족함을 인정하기 시작했다. 나의 지금 상태를 내 스스로가 알아야 내가 기준이 되고 어제보다 나은 내가 되고 발전할 수 있다는 것을 누구보다 잘 알고 있다. 남편은 내가 나의 생각을 잘 표현하지 않으면 오해를 불러일으킬 수도 있다고 조언한다. 나는 고개는 끄덕였지만 괜스레 서럽다. 오늘도 나는 내 자신을 더 알아가고 발전하도록 노력하고 있다.

하나뿐인 소중한 나의 아이

아무래도 나는 육아하는 동안에도 7번 유형의 회피성향을 보였다. 육아가 너무 힘드니 순간순간 즐겁게 보내려고만 했다. 7번 유형은 감정을 잘 사용하지 않는다고 한다. 육아를 하던 그동안의 나를 스스로를 돌아볼 시간이 필요하다고 느꼈다. 나는 그동안 왜 나를 되돌아보지 않았는지 그 순간순간의 나의 감정은 어떤 것이었는지 기억을 하나하나 꺼내어 되뇌고 싶어 졌다.

아이가 너무 떼 부리면 그 상황에서 밖으로 꺼내 주려만

했던 것 같다. 그리고 다른 것을 손에 쥐어 줬다. 아이이기에 당연히 물건에 대한 소유욕이 있을 텐데 장난감 하나로 친구와 다투는 모습을 보면 나도 모르게 너무 화가 났다. 그리고 그렇게 싸울 거면 가지고 놀지 말라고 했다. 또 한 번은 아이가 그냥 부리는 응석부리는 달래주지는 않고 그 놀이가 너에게 힘든 것이라면 하지 말라고 으름장을 부리곤 했다.

하나뿐인 소중한 나의 아이는 나에게 제일 어려운 존재이다. 나와는 너무 다르고 행동하는 하나하나 도통 왜 그러는지 이해가 되지 않았다. 에니어그램을 배우고 나서는 아들이 나와 다르지만 본질적으로 매우 닮았다는 것을 발견했다. 그리고는 이해가 되기 시작했다.

아직 어려서 아들의 에니어그램 유형은 정확히는 알 수 없다. 모든 면에 재미를 추구하고 갈등의 상황을 힘들어하는 것에 7번 유형으로 추정된다. 아들의 그림을 살펴보았다. 누군가의 그림에는 행복하게 웃는 사람들의 얼굴이 그려져 있다. 어떤 그림은 군중속의 외로운 내가 표현되기도 한다. 아직도 중장비 장난감에 푹 빠져 있는 여섯 살 아들의 그림에는 여러 대의 중장비가 멋진 자연 환경 속에서 공사를 하고 있는 내용이 항상 들어간다. 각자의 특징을 멋진 색

깔로 뽐내고 있다.

아이들은 당연히 동물을 좋아하고 그리기를 좋아할 것이라고 생각했지만 우리 아이는 어떤 놀이를 하던 중장비와 기차가 들어간 놀이를 하니 처음에는 좀 당황스러웠다. 너무 한쪽으로만 치우친 게 아닌 가해서 바다동물 장난감도 놀이할 때 슬쩍 권해보고 꽃도 보여주며 다양하게 놀게 해주려 했지만 관심도 없던 아들이다. 아들에게는 5번 유형의 모습도 보인다. 좋아하는 기차, 도로, 환경 등을 대할 때는 제법 진지하고 호기심이 한번 발동하면 하루 종일 그것만 붙잡고 있곤 한다.

자연에 더 익숙한 아이

친구의 아들은 카봇을 너무 좋아한다. 카봇의 시리즈별로 어떤 장난감들이 구성되어 있고 신제품 이름을 달달 외운다고 한다. 그리고는 대화할 때 우리 집엔 어떤 장난감이 있고 어떤 장난감 있다고 자랑을 하곤 한다. 아들에게 물어보았다. 아들 카봇이 요새 유행이라고 하는데, 카봇 만화 한번 봐볼래?라고 했더니 아들은 싫다고 한다. 로봇 말고 자동차가 좋고 특히 사람들을 구하는 자동차가 좋다고 한다. 여섯 살의 아이가 자기가 좋아하는 것이 명확하고 좋은 이유도 당당하게 말하는 것을 보니 어릴 적 나의 모습과 너무 상반되어 놀랐다. 아들이 좋은 장난감이 갖고 싶지 않을까 싶어 아르바이트도 할까 생각하던 엄마이다. 내 장난감도 아니면서 아들의 토이 컬렉션을 만들어 주려 했었다. 나는 뒤쳐지기 싫은 엄마인가보다.

아이러니하게도 우리 아이에게 제일 좋아하는 장난감은 모래이다. 엄마가 되니 매일 땅을 판다. 강릉을 가던 어느 새로운 곳을 가도 이 아이가 하고 싶은 건 모래놀이이다. 모래놀이를 하면서 길을 만들고 아주 깊은 터널을 만들어내야 한다. 아들은 땅을 파다가 모래 속에서 발견된 돌멩이보고 보물이라고 한다. 아이에게 어느 장난감보다 모래놀이가 최고인 것처럼, 어느 특출 난 것이 아닌 나 그대로의 엄마로 있어 줘야겠다 다짐이 생겼다.

아이가 의사표현을 하기 전인 아장아장 걸을 땐 아파트에서 편리함을 느끼며 생활했었다. 서울로 이사 와서 처음 자리 잡은 집은 어느 주택가의 신축 빌라였다. 조용하고 집 앞의 큰 공원이 있다는 장점에도 불구하고 주변 대형아파트 대비 아쉬운 생각하게 되었다. 여섯 살이 된 아들은 "우리 벽돌집에 살았을 때 그랬었지" 옥상이 있고 하늘을 바라볼 수 있어서 좋았다며 눈사람을 함께 만들었던 추억을 이야기한다. 아들에게 집이란 놀러가서 본 펜션은 나무로 지어진 집이며, 빌라는 벽돌로 지어진 집이다. 지금은 아파트가 이제는 제일 좋다. 이유는 좋아하는 숫자 2가 두 번 연속된 층에 살기 때문이다.

아이와 여행을 다녀와서 제일 좋았던 것이 무엇이야? 라고 물어보았다. 아이는 숙소에서 비 오는 풍경을 바라보며 좋아하는 그림을 그린 것이 가장 기억에 남는 다고했다. 여행 동안 계속 비가 와서 속상해하지 않았을까 걱정을 했는데 정말 의외였다. 우리 아이는 지금 가족들과 함께하는 집을 좋아하고 추억이 함께한 여행숙소 그 공간 자체를 즐기는 모습을 보여주어 감사했다.

나에게 비 오는 날은 어떨까? 비 오는 날이라고 하니 운전하기 좋은 날이다. 운전은 육아와 함께 시작을 하였다. 유독 몸으로 하는 것이 어려운 나에게 운전은 육아만큼이나 어렵고 익숙하지 않았다. 익숙지 않은 도로라는 환경에서 고철덩어리에 갇힌 느낌이랄까? 혹여나 화장실이 급하기라도 하면 어쩌지? 하는 무한 걱정이 밀려왔다. 그래도 생존을 위해 운전연습을 했다. 주로 아이를 재우고 동네 한 바퀴를 돌며 자동차와 친숙하게 됐다. 알게 된 것은 눈이나 비가 오는 날 그리고 어두운 밤 사람들은 더 안전 운전을 한다는 것이다.

　등하원길 왕복 50분을 아이와 함께한다. 이렇게 익숙해진 운전으로 자동차 안은 나의 또 다른 육아공간이 되었다. 이 시간을 어떻게 의미 있게 보낼 수 있을까 하는 고민을 늘 하고 있다. 다행이 아이는 도로의 자동차를 바라보며 흥미를 느낀다. 처음 아이와 라이딩을 시작했을 땐 도로위의 숨은 그림 찾기를 시작했다. 제일 좋아하는 소방차와 구급차를 함께 찾으면서 아이가 등원하는 시간이 지루할 틈이 없길 바랐다. 가끔 멀리서 사이렌소리는 들려오는데 구급차가 보이지 않으면 대성통곡할 때도 있었다. 좋아하는 자동차를 시작으로 아이는 점점 질문이 많아 졌다. 자동차의 마크를 보고 아빠차가 기아차 인 것을 알게 됨에 즐거워했고, 글자에 관심을 갖기 시작하니 자연스레 번호판의 글자와 숫자를 궁금해했다.

　자동차 안에서 언제나 대화만을 하진 않는다. 어느 날 하원 길에 아이가 오늘은 '소나무야'라는 노래를 배웠는데 잘 기억이 나지 않아 속상해했다. 노래를 틀어주고 같이 불러 연습을 해서 자신감을 키워주었다. 같은 시간대 같은 공간에 익숙한 길을 달린다. 아이도 엄마와 함께하는 이 시간을 즐기기 시작했다. 자신의 놀이에만 집중하던 모습을 보이던 아이는 요즘은 친구들과의 관계와 하루 중에 힘들었던 일을 엄마와 자연스레 나누어준다. 우리 모자에게 차안은 집으로 가는 행복한 소통의 공간이길 바란다.

육아를 하며 돌아본 나의 어린시절

아이의 본질은 조금도 알아봐야 할 거 같다. 에니어그램에서 7번 유형의 어릴 때는 건강한 상태의 모습을 보인다. 그래서 한 가지에 집중하고 몰입하는 5번 유형의 모습과도 헷갈렸던 것 같다. 조급해하지 않고 아들을 지켜보려 한다. 아이가 자라면서 사회적으로 발달하기에 점점 더 본래의 나를 찾기는 쉽지 않을 것 같다. 다만 아이는 엄마와 함께 있을 때 제일 행복하고 나다운 나를 보여줄 것이라고 생각한다. 본래의 나의 모습을 잘 알고 내 아이의 성향을 존중하며 함께 성장해 나아가고자 한다. 잘하는 것을 더 잘할 수 있도록 보완할 점은 다듬어 갈수 있도록 도와주고 싶다. 엄마와 함께하는 시간에는 좋아하는 것을 마구 하며 집중할 수 있도록 지지해주고 싶다.

어릴 적 추억이 떠올랐다. 동전을 넣고 뽑기 하는 것에 빠져 엄마에게 혼나고 제지당하자 엄마 몰래 뽑기를 하여 나온 것을 숨기고 한군데 모아 뒀다고 한다. 내적 결핍함에 쫓겨 물질에 집착하는 7번 유형의 꼬마를 들여다보는 시간이었다. 그리고 자연스럽게 나의 필요를 위해 스스로 계획하고 확실히 하는 것이 익숙해진 걸까? 하는 의문을 가져보았다.

어릴 적부터 성인이 될 때까지 나는 스스로 하려는 병에 걸린 것 같다고 느꼈다. 어린 시절에는 갖고 싶은 것이나 다니고 싶은 학원이 있으면 당당히 부모님에게 요구했을 법하다. 그런 나의 욕심을 부모님이 들어주지 못할지도 모른다는 생각이 항상 내 마음을 어지럽혔다. 부모님의 재정 상태까지 고려하면서 내가 원하는 것을 요구하는 것은 쉬운 결정이 아니었다. 나는 속상한 마음이 들 부모님의 모습을 상상하며 나의 욕심을 억누르고자 했던 것 같다. 부모님은 나에게 최선을 다해 주고 싶어 하는데 그런 상황에서 나의 부탁을 들어주지 못할지도 모른다는 생각에 마주하기가 어려웠던 것이다. 이런 상황에서 내가 부모님을 상처주고 싶지 않았던 것도 사실이다. 나의 요구가 부모님에게 무리를 줄 수도 있다는 생각이 나를 억누르게 만들었다.

결혼을 하고 육아 중인 지금의 나는 어떨까? 에니어그램을 배우고 난 지금의 나는 아주 솔직한 대화체를 가지려 노력한다. 부모님과의 소통에서 당당히 나의 마음을 전하고 있다. 무언가를 결정할 때 좋고 싫음을 솔직하게 말해 달라고 요청하기도 한다. 덕분에 요즘은 부모님과의 관계가 건강하게 발전하고 있다.

결혼과 육아를 통해 나는 가족 간 소통의 중요성을 깨닫게 되었다. 자식이 부모에게 솔직하게 자신의 마음을 전하고 부모도 마찬가지로 솔직하게 의견을 나누는 것은 가족이 함께 성장하고 이해를 깊게 할 수 있는 기회를 제공한다. 솔직한 대화를 통해 서로에게 더욱 가까워질 수 있을 것이다. 가족이 함께 힘을 모아 나아갈 수 있을 것이라 믿는다.

늘 연구하기를 좋아하는 내 사람

나는 남편을 걸어 다니는 백과사전이라고 부른다. 다양한 분야에 대해 모르는 것이 없다. 어떠한 질문을 하면 30 분가량의 명강의로 화답한다. 함께 영화를 보고 난 이후에는 영화에서 나온 이론을 학습하여 완전한 내 것으로 만든다. 그렇다. 남편은 누가 봐도 탐구자 성향이 보이는 5 번 유형으

44

로 추정된다.

나는 5번 유형의 남편에게 인간적인 시샘과 존경심이 공존한다. 어떻게 이렇게 늘 호기심이 많고 학습적일까? 새로운 것을 배우고 전문가가 되는 것에 거리낌이 없고 의욕적일까? 일하기에도 힘든데 늘 새로운 것을 배우고 익혀 우리 가족을 지켜 주려 하는 남편이 너무 든든하고 의지하게 된다.

에니어그램을 배우며 했던 워크숍이 기억에 남는다. 5번 탐구자 유형과 7번 열정가 유형 사이에서 고민하고 계시던 선생님과 함께했던 그 시간이 떠오른다. 마치 남편과 나의 모습을 보는 것 같아 정말 재미있었다. 워크숍 중 하나는 내가 들으면 힘이 되는 말의 카드를 고르는 활동이었다. 나는 "난 언제나 네 편이야"라는 카드를 골랐다. 그 카드는 내가 하고 싶은 일을 하면서도 진정한 내 편들이 지켜봐 주고 함께하길 바라는 마음을 대변해 주었다.

연애를 하고 결혼을 하고 나서까지 크게 느끼지 못했다. 그런데 아이가 태어난 이후에는 우리 부부의 모습이 확연히 다르다는 것을 느꼈다. 에니어그램을 배우기 이전에는 그저 남편이 변했다고 생각했다. 하지만 에니어그램을 배우면서,

단순히 '남과 여'의 차이가 아닌, 에니어그램 유형에 따라 아이를 대하고 육아에 임하는 모습이 다를 수 있다는 것을 알게 되었다.

남편은 5번 탐구자 유형으로 추정된다. 남편의 육아는 '효율성'을 중요시한다. 어느 휴일 남편이 아이와 시간을 보내며 내가 쉴 수 있도록 배려해주었다. 그런데 그 시간을 자유롭게 즐기지 못하고 외로움을 느끼는 나를 발견했다. 남편은 부모 중 한 명이 아이와 시간을 보낼 때 다른 한 명이 휴식하는 것이 효율적이라고 생각했다. 반면에 나는 우리 가족 모두 함께 시간을 보낼 때 추억이 생기고 더 즐겁다고 생각한다.

에니어그램을 배우면서 남편의 행동이 그의 성향에 따른 자연스러운 모습임을 이해하게 되었다. 남편은 자기만의 시간을 필요로 하고 자신이 좋아하는 활동을 통해 에너지를 회복한다. 따라서 혼자의 시간에 대한 가치를 알고 그 시간을 나에게 제공해준 것이다. 처음에는 이것을 이해하지 못했다. 남편도 분명 내가 이해되지 않았을 것이다. 하지만 나의 감정을 이해하려 하고 노력했고 가족과 함께 시간을 보내는 것을 얼마나 중요하게 생각하는지 인정하며 함께 시간을 보내는 방법을 선택했다. 처음에는 남편이 육아에 적극적이지 않다고 느껴 불만이 있던 적도 있다. 끊임없이 놀아주고 다양한 활동을 해야 한다고 생각했던 나와 달리 남편은 충분한 휴식 후 에야 비로소 본연의 모습으로 아이와 시간을 보낼 수 있었다.

에니어그램을 배운 이후, 나는 남편의 휴식시간을 존중하며 무리하지 않으려 한다. 이러한 나의 배려에 남편도 휴식 후 아이와의 시간을 적극적으로 가지고 몸으로 놀아주려고 했다. 활동적인 방식을 통해 활기찬 시간을 엄마와 먼저 보내고, 아빠와는 이후 차분한 모습으로 아이에게 안정감을 주려 한다. 우리 부부는 서로가 더 깊은 유대감을 갖고 가족 모두가 균형 잡힌 행복한 시간을 보내고자 노력하고 있다.

여행을 할 때는 남편은 어떨까? 여행지에서 자연을 느끼고 독서를 하며 휴식을 취하며 힐링을 한다. 역시 충분한 휴식이후에 주변을 둘러볼 여유가 생긴다는 것이다. '여행지에 가서 왜 숙소 안에만 있지?'라고 생각했는데 5번 유형을 알고 난 이후 나는 조금 달라졌다. 새벽부터 일어나 있는 아이와 조식을 먹으러 가 오전 시간을 충분히 보낸다. 그럼 그 이후 남편은 여행지에서의 추억을 함께 만들어준다.

처음에는 남편을 도통 이해할 수 없는 대상이라고 생각했다. 5번 남편과 나 사이에 내가 더 노력해야 할 부분이 많다는 것에 대해 속상한 마음이 들었다. 하지만 에니어그램을 배울수록 관계를 중요시하고 가정의 평화를 행복이라고 느끼는 나에게 이것은 어쩌면 당연한 일일지도 모른다.

에니어그램을 배우기 전과 다른 것이라면 의미 없는 헌신을 하는 것이 아닌 나와 상대를 알고 본질을 그대로를 존중하는 마음으로 대할 것이라는 점이다. 오늘은 내가 옳다고 생각했던 것들이 다른 사람에게는 아니었을 수도 있다는 것을 알았다. 내 기준에 나의 판단에는 내가 옳다고만 믿었는데 남편의 입장이 되어 남편의 기준으로 보니 그렇지 않다는 것이다. 나 혼자만의 노력이 아닌 배우자도 타협을 위해 노력을 안 하는 것이 아님을 깨닫는 시간이 되었다. 각자의 모습이 있고 각자의 모습대로 서로를 위해 노력하고 있다는 것을 감사하게 생각해야 한다. 에니어그램을 통해서 관계를 회복할 수 있는 소중한 경험을 하고 있다.

엄마와 아이가 행복한 육아

우리 아이에게 나는 어떤 엄마일까? 가장 가까운 친정언니는 완벽을 추구하는 1번 유형의 엄마이다. 아이가 규칙적이고 올바르게 행동하기를 기대한다. 모든 것이 엄마의 계획대로 진행되어야 하고 작은 실수도 용납되지 않는다. 아이의 방은 항상 깨끗이 정리되어야 하며 숙제는 스스로 철저히 해야 한다. 엄마는 아이가 규칙을 어길 때마다 엄격하게 다그치고 올바른 행동을 강조한다. 아이는 자신 스스로가 아닌 엄마의 기대에 맞추기 위해 항상 긴장하며 생활하려고 노력한다. 이로 인해 아이는 스트레스를 받고 점점 더 위축되어 보였다. 엄격한 다그침만이 아닌 격려와 칭찬이 필요하다. 엄마의 기준에 맞는 아이가 아닌 더 자립적인 아이가 될 것이다.

반면에 에니어그램 2번 유형의 엄마는 아이에게 굉장히 헌신적이다. 아이의 필요와 욕구를 먼저 생각하고 아이를 위해서라면 무엇이든지 할 준비가 되어 있다. 여섯 살 아이와 산책을 나간 날이었다. 신나게 뛰어논 뒤 집으로 돌아오는 길은 햇볕이 쨍쨍 내리쬔다. 열심히 놀았기에 엄마도 아이도 모두 힘들지만 여섯 살 아이를 자연스레 업어준다. 엄마는 아이가 행복하고 편안하다면 그 정도의 희생은 어렵지 않다고 생각한다. 그러나 이런 엄마의 과도한 헌신은 아이에게 당연히 받을 권리라고 느껴질 수 있고 역시 아이가 스스로 할 수 있는 기회를 빼앗을 수 있다. 내가 스스로 하려하기 전에 엄마가 모든 걸 채워주니 스스로 할 필요가 없는 것이다. 아이는 때로는 자신의 공간과 독립성이 필요하고 키워야 한다.

에니어그램 7번 유형인 나의 엄마일 때 모습이다. 내 스스로가 항상 새로운 경험과 재미를 추구한다. 아이와 함께 다양한 활동을 계획하고 항상 즐겁고 활기찬 시간을 보내기를 원한다. 그리고 아이의 삶이 즐거움으로 가득 차기를 바란다. 그러나 이런 엄마의 끊임없는 활동과 변화는 아이에게 피로감을 줄 수 있다. 아이는 때로는 안정감과 일관성을 원할 때도 있고, 새로운 장소나 사람에게는 낯을 가리는 경우도 있는데 그 시간을 기다려 주지 못한다. 그리고 내가 느끼는 즐거움을 아이도 똑같이 느끼기를 바랐다. "네가 즐겁지 않다면 하지 마"라는 말을 하면서도 내심 아이가 모든 활동에 적극적으로 참여하길 기대했다. 왜 이렇게 적극적이지 않을까 답답하게 생각했다.

에니어그램을 배운 이후 아이가 나와 같은 성향을 가질 필요는 없다는 사실을 인정하게 되었다. 아이에게는 안정감과 일관성이 필요하고 새로운 상황에 적응할 시간을 충분히 줄 필요가 있다는 것을 알게 되었다. 이제는 아이가 새로운 환경에 적응할 시간을 더 주려고 노력한다. 예전 같았으면 새로운 활동을 시도할 때 바로 다음 계획을 세웠지만 이제는 아이가 충분히 익숙해지고 편안해질 때까지 기다린다. 아이의 반응을 관찰하고 아이가 좋아하는 활동과 편안하게 느끼는 순간들을 존중하게 되었다.

이렇게 에니어그램 유형에 따라 다양한 육아 방식이 보인다. 나와 아이는 다른 사람이라서 아이에게 부담이 될 수도 있다. 중요한 것은 부모가 자신의 성향을 이해하고, 아이를 알아야 한다. 아이의 필요와 감정을 존중하는 것이다. 이를 통해 아이와 부모가 서로를 이해하고 존중했을 때 건강하고 행복한 관계를 유지할 수 있을 것이다.

'일상에서 깊은 행복과 만족감 그리고 충족감을 언제 느끼는가?'라는 질문에 대한 답을 계속적으로 이야기하는 '린다 워크숍'을 해본 적이 있다. 나는 맛있는 것을 먹을 때마다 행복하고, 어제보다 나은 오늘의 모습을 볼 때도 행복하다

아주 행복한 마음을 자주 느끼는 사람이라는 것을 알아차렸다. 그리고 내가 생각한 기준에 만족감을 느낄 때 보통 만족감을 느끼고 내가 좋아하는 것을 누군가와 함께 할 때 충족감을 느끼는 것은 독백을 통해 알게 되었다. 혼자서도 행복지만 누군가와 함께 해 나아가는 것에 충족감을 느끼는

제 모습이 나는 좋았다. 그렇다. 육아는 혼자서 하는 것이 아니고 함께 해 나아가는 것이다. 그동안은 항상 행복한 기억만 남기고 무의식적으로 불행한 기억은 삭제해버리는 나였다. 내가 가진 결점과 단점을 인식하고 받아들이는 것이 나를 더욱 강하게 만들고, 나아가 더 나은 사람으로 성장하는 기반이 된다는 것을 깨달았다. 나라는 존재에 대한 생각을 통해 나 자신과 솔직하게 대화하고, 그 속에서 나아가는 여정의 시작임을 알게 되었다.

엄마인 나 자신을 알고 아이를 알아야 한다. 그래야 행복하게 살 수 있다. 다시 말해 엄마와 아이가 모두 행복한 육아를 할 수 있다. 모두가 에니어그램으로 나 자신을 찾고 행복한 육아를 했으면 좋겠다.

Episode 3

진짜 나를 만난 후에야
진짜 네가 보였다

이송이

진짜 나를 만난 후에야 진짜 네가 보였다

이송이

"에니어그램을 통해 이미 충만하다는 것을 알았으며,

진정한 사랑은 본질 그 자체를 인정하고 수용하는 것이다"

진짜 나를 만난 후에야 진짜 네가 보였다.

첫눈에 반한다는 느낌이 이런 느낌일까? 에니어그램을
만났을 때 딱 그랬다. 부모양육검사로 처음 알게 된 에니어
그램은 내가 감추고 싶었던 민낯을 샅샅이 비추는 거울 같
았다. 안개 속에 가려져 있던 진짜 나를 찾을 수 있을 것 같

은 느낌에 어디서 어떻게 배워야 하나 궁리하던 차, 운명처럼 김진희 교수님의 무료 강의를 듣게 되었고, '바로 이거야!'라는 강한 확신이 들었다. 새로운 걸 시작하려면 이런저런 고민이 많은 나인데, 마치 무언가에 홀린 듯이 한 치의 망설임도 없이 기본-심화과정부터 연구원 과정까지 한 번에 신청하게 되었다.

1년여간의 시간 동안 함께 공부한 선생님들과 눈물 콧물 흘리며 마음 속 깊은 이야기들을 나누었고, 결코 혼자서는 얻을 수 없는 나에 대한 깊은 깨달음과 존재가치를 얻었다. 그렇게 나를 이해하고 나를 사랑하는 내면의 구슬들이 한 알 한 알 쌓여갔고, 이렇게 귀한 경험과 깨달음을 나만 알고 있기엔 너무 아까웠다. 좋은 건 누가 시키지 않아도 함께 나누고 싶지 않은가? 그래서 미흡하게나마 배움을 나누고 소통하며 삶의 가치를 전하자는 뜻에 도반을 함께했던 선생님들과 책을 내기로 마음먹게 되었다.

하지만 습관처럼 따라다니던 불안은 나를 여지없이 주저앉혔다. '아직 멀었어. 아직은 아니야. 내가 뭐라고 책을 내겠어. 흑역사가 되느니 차라리 시작하지 않는 게 나아.' 조금만 불안해져도 여지없이 자기 합리화와 회피 구조가 발동됐다. 이럴 때마다 나는 이런 생각과 행동들이 그저 천성이고 성격이라고 생각하며 포기하고 자책했다.

그런데 에니어그램을 배우고 나서 내가 왜 이런 생각을 하게 된 건지, 언제 어떤 상황에서 흔들리는 건지 A~Z까지 속속들이 이해하게 되었다. 광명을 찾은 느낌이 이런 느낌일까? 이제 나의 잘못된 행동들의 원인을 알았으니 마음만 먹으면 에니어그램에서 말하는 본래의 내 모습을 찾게 되고, 그동안 꿈꿔왔던 이상적인 내가 될 수 있을 거라고 생각했다.

하지만 생각만으론 아무 일도 일어나지 않는 것이 세상 이치. 영혼과 육체의 이어짐처럼 생각과 행동도 그러하다. 에니어그램 유형 중 행동형에 속하면서도 행동하기 전에 항상 포기만 하던 나는 조금만 상황이 여의치 않아지면, '여우와 신포도'의 여우처럼 금방 포기하고, 어쩔 수 없는 선택이었다면서 자기합리화를 했다. 그렇게 미련이라는 서랍장에는 나를 자책하는 짐들로 자꾸 채워져 갔고, 이러한 형국이니 '아예 아무것도 안 하련다'가 나를 더 편안하게 만들었다.

그러다 우연인지 필연인지 수업을 하는 동안 나라는 존재를 이해하며 '알아차림'의 순간을 경험하게 되었다. '아, 내가 지금 흔들리고 있구나. 괜찮아. 나는 이미 완전하고 사랑 가득한 존재야. 나뭇가지가 바람에 흔들리듯이 지금 잠깐 흔들리는 것뿐이야. 잠시 멈춰 쉬었다 가자.' 내가 이미 사랑으로 만들어진 완전하고 충만한 존재임을 깨닫게 된 그 순간, 그 행복감과 충만함은 머리부터 발 끝까지 나를 전율케 했다. 이 충만한 행복감은 나에 대한 자긍심으로 변해갔고, 곳곳에 있던 마음의 구멍들을 하나씩 채워주었다. 이렇게 본질을 경험해보니 나에 대한 확신이 생기고, 따뜻한 눈빛으로 나를 바라볼 수 있게 되었다. 곧이어 이 마음의 눈은 남편과 딸을 바라보는 시선까지 변화시켰다. 나를 사랑하게 되니 그들이 내게 보내주던 사랑의 신호들이 보이기 시작했다. 그동안 무미건조하게 느껴지던 "사랑한다."는 말이 마치 주파수가 맞춰진 것처럼 나의 진심에 와닿았다. 나도 모르게 눈물이 흘러내렸다.

물론 나 혼자서는 결코 이뤄내지 못했을 일이다. 함께 한 시간 동안 진심을 담아 이야기 나눠 주신 동기 선생님들과 에니어그램 9번 유형 특유의 망설임과 게으름을 품어 주시고, 격려와 믿음으로 기다려 주신 교수님이 계시지 않았다면 불가능했을 일이다. 이 자리를 빌려 다시 한 번 감사드립니다.

나를 찾아 떠나는 여행

나는 에니어그램 9번 유형이다. 9번 유형에게 안정감은 생존과 직결될 만큼 중요한 요소라서 일상에서 해보지 않았거나 익숙하지 않은 일에 대해 극히 두려워하고, 잘 해내지 못할 거란 두려움이 엄습하면 시작할 엄두도 내지 못하고 미루게 된다.

안정감이 무엇보다도 중요한 나의 유년시절은 불행하게도 유기와 불안의 삶이었다. 태어나 백일 무렵 부모님은 이혼하였고, 고아원에 버려질 뻔하다가 연로하신 할머니께 맡겨졌다. 얼마 뒤 할머니의 건강 악화로 이 집 저 집 전전하며 위태로운 유년시절을 보내게 되었다. 그 상처 많은 아이는 어른이 된 지금까지도 여전히 내 속에 살고 있고, 내가 에고에 흔들릴 때마다 너는 버려진 존재라며 소리치고 나를 주저앉힌다. 이렇게 형성된 불안은 내가 혼자서는 살아갈 수 없는 나약한 존재이며, 다른 사람들의 도움이 없으면 살아갈 수 없다는 생각을 하게 만들었다. 이렇게 에니어그램을 배우기 전까지 나는 무의식적으로 불안해지는 이유를 알 수 없었고, 단순히 내가 소심해서 사랑받지 못해서 내가 버림받은 존재라서 그런 거라고 생각했다. 그래서 바꿀 수 없는 과거를 원망하고 자책하며, 또 같은 일이 반복될까 봐 작은 변화에도 불안에 떨며 사람과의 관계에 매달리거나, 버려짐이 두려워 아예 관계를 맺지 않는 모 아니면 도의 다소 극단적인 선택만을 반복했다.

그러다 에니어그램의 존재 세움 과정 중 미래의 내가 나에게 쓴 편지는 그동안 감히 상상치도 못했던 나를 만나게 해주었다. 본래의 인생을 살아가고 있는 반짝반짝 빛나는 나를 만나게 해주었다. 그런 내 모습을 보자마자 나도 모르게 사랑한다는 말이 나왔다. 처음으로 아무런 계산 없이 나의 본질 그 자체가 사랑받는 경험을 할 수 있었다. 이렇게 에니어그램을 통해 나의 유형을 파악하게 되면서 나의 사고 습관과 위험신호, 의식의 성장 방향을 파악할 수 있게 되었다. 눈보라치는 춥고 깜깜한 숲 속에서 내가 편히 쉴 수 있는 나만의 포근한 집을 발견한 느낌이었다.

그렇게 나를 이해해가면서 나에 대한 수용 폭을 넓혀 나가게 되었고 그렇게 넓어진 폭만큼 이해가 안 되던 남편과 딸아이의 성향까지 이해가 되기 시작했다. 영원히 풀리지 않을 미스테리 같던 남편이 조금씩 이해가 되고 뾰족하게 찌르던 말과 행동들이 수용할 수 있는 범위까지 들어오게 되었다.

이런 변화들 또한 나를 편안하게 만드는 요소가 되었고, 편안함이 가장 중요한 9번 유형인 나는 점점 내 삶에서 나를 성장시키는 방법을 찾아내기 시작했다. 생각이 많은 유형은 일단 생각을 멈추고 행동을 하면서 생각의 전환을 시켜야 한다. 나를 망설이게 만드는 그 감정에 '설설이'라는 이름을 붙였다. 설설이가 찾아오면 회피하고 도망치던 과거에서 벗어나 이젠 "설설이 왔니? 내가 좀 힘을 내서 움직일 때가 되었구나. 이제 무얼 할지 적어볼게."라고 직면할 수 있게 됐다.

그리고 고집이 센 걸로 탑 그룹에 들어가기 때문에 만약 생각을 바꾸고 싶다면, 더욱더 그 생각에서 벗어날 수 있도록 몸을 움직여 생각의 틈을 만들어야 한다. 이런 부분들은 누군가와의 갈등, 특히 남편이나 딸과의 갈등이 일어날 때 감정을 가라앉히는 방법으로 유용하게 쓰였다.

아무리 좋은 도구가 있어도 그 쓰임새를 파악하지 못하고 사용법을 모르면 고철로 가치가 사라진다. 나라는 사람이 이 세상에 온 이유는 오롯이 나로서 사랑받고 행복하게 살아가며 쓰임 받기 위함이다. 나의 존재를 세움으로써 나의

가치도 새롭게 생겨났다. 내가 살아가는 이 순간 이 순간이
모두 소중해지는 이유이다.

남편과 딸을 만나다

늘 외롭고 불안했던 나는 다정하게 챙겨주고 언제나 내
편이 되어주는 남편을 만나 결혼을 결심하게 되었다. 곧이
어 사랑 표현이 넘치는 아빠를 꼭 닮은 딸을 만나게 되었다.
하지만 그땐 나의 존재도 제대로 세우지 못한 채 이리 저리
흔들리며 살고 있었고, 24시간 나와 다른 사람들과 부대껴
살다 보니 내가 애를 쓸수록 가족은 나에게서 더 멀어지며
우리들의 관계는 미궁 속으로 빠져드는 느낌이었다. 이러다
가 또 소중한 관계를 놓치진 않을까 하는 불안과 두려움이
나를 엄습했고 모든 일이 버겁고 힘겨워졌다. 세상에서 가
장 만나기 싫은 무기력의 늪에 빠지게 된 것이다.

어떻게든 벗어나고 싶었다. 한 줄기 희망이라도 잡아보고
싶었다. 그때 만나게 된 것이 부모교육과 에니어그램이었다.
매주 월요일은 에니어그램 수업을, 수요일엔 부모교육을 받
으러 다녔다. 이때의 선택이 없었다면 지금의 나도 없었을
것이다. 나의 존재를 먼저 이해하고 세우고 나니, 그제서야

남편과 딸이 보이기 시작했다. 죽었다 깨어나도 이해되지 않을 것 같았던 그들의 생각과 바람과 행동들이 수수께끼가 풀리듯 하나씩 풀려나갔다.

남편과 딸은 감정(가슴)중심의 사람들이며 타인으로부터 인정받고 사랑받으려는 욕구를 갖고 있다. 자신의 욕구가 거부되거나 무시될 때 그들은 자신이 무가치하다고 생각하며, 수치심을 느끼고 불안해한다. 같은 가슴형이지만 4번 유형인 남편과 2번 유형인 딸은 인정과 사랑을 받는 방법에서 차이점이 있다.

남편은 남과 다른 나만의 독특하고 특별한 이미지로 다른 사람과 다르다는 존재감으로 사랑과 인정을 받으려 하고, 2번 유형인 딸은 타인에게 친절을 베풀고 돌봐주며 네 덕분이라는 감사와 인정을 얻으려고 한다. 이런 특성을 알지 못했던 행동 중심형 9번 유형인 나는 오로지 그들의 행동에만 초점을 맞춰 그들의 마음을 평가했고, 남편과 딸의 사랑 표현이나 다정한 눈빛, 함께하는 시간 동안 나누는 비언어적인 모든 것들을 깡그리 무시하고 냉대했다. 나의 이런 매몰찬 행동들은 그들에게 비수가 되어 상처를 남겼고 그렇게 우리는 서서히 벽을 쌓게 된 것이었다.

9번 유형은 또한 지배욕구도 있어 내부와 외부로부터 어떠한 영향도 받고 싶어하지 않는다. 그래서인지 남편과 딸의 비언어적 신호를 받지 않으려고 더 냉대했던 것 같다. 서서히 남편과 딸의 유형을 알게 되면서 그들을 이해하게 되었고, 그동안 보이지 않았던 고장 난 부분들이 눈에 보이기 시작했다.

에니어그램이라는 도구를 가지고 있는 사람은 바로 '나 자신'이기때문에 상처 난 부분을 고칠 수 있는 사람도 '나'라는 책임감이 생겼다. 더 늦기 전에 알게 되어 얼마나 다행인지 모르겠다. 지금도 여전히 흔들리고 실수할 때도 많지만 나에겐 명약과 같은 에니어그램이 있어 더이상 두렵지 않다.

20년 지기 친구에게 진심이 닿다

1년여의 에니어그램 연구원 과정을 수료하고 난 뒤 나는 사람들을 보는 시선 또한 달라졌다. 이전에는 타인을 바라는 보는 시선도 나를 바라보는 시선과 별반 다를 게 없었다.

부족한 점, 고쳐야 할 점, 이해가 안 돼서 답답한 부분 등 나를 못나고 부족한 모습으로 보는 시선 그대로 내 가까운 지인들을 볼 때도 그러했다.

그래서 간혹 고민 상담이라도 들어올라치면 네가 이러 이러한 행동을 하니까 상대방이 이러는 거 아니야?라며 안 그래도 아픈 마음에 송곳 같은 독설을 날렸다. 그럴 때도 나는 내가 무엇을 잘못하고 있는지 몰랐다. 왜냐하면 그 의도는 너무나 순수하게 그 사람을 위한 마음이었다.

에니어그램을 배우고 난 뒤엔 사람들을 보는 세상도 달라졌다. 여전히 이해되지 않고, 당황스럽고, 화가 나는 부분도 있다. 하지만 그 본래의 존재는 완전하고 선하다는 사실을 신념처럼 믿게 됐다. 단지 밖으로 끄집어내는 표현 방법이 나와 맞지 않거나 상황에 맞지 않아서 갈등이 일어나게 된다는 걸 깨달았다.

어느 날 20년 지기 친구가 고민 상담을 해왔다. 자신이 일하는 직장에서 선생님들이 자신을 불편해하고 심지어 퇴사를 종용하기도 한다는 것이다. 그 말을 처음 들었을 땐 화가 났다. '내 친구가 뭐가 어때서!!!' '그런데 넌 도대체 어떻게 행동했길래 그런 대접을 받는 거야!!!' 이 모든 생각은 친구에 대한 사랑이 근간이다. 하지만 이대로 말한다면 우리 모두에게 아무런 도움이 되지 않는다는 걸 알게 됐다.

나는 마음을 가라앉히고 내가 알고 있는 이 친구의 장점들을 떠올려봤다. 본의 아니게 가끔 그 장점들이 과해져서 다른 사람들에게 불편함을 주었던 일들도 떠올랐다. 아마도 그런 연유인 거 같아서 조심스레 그런 말들이 나오기전 어떤 상황들이 있었는지 물어보았다. 예상대로 친구의 선한 오지랖이 선을 넘었고 상대를 불편하게 만든 것 같았다. 나는 친구를 다그치기보단 친구의 선한 의도를 눈 앞에 펼치듯이 묘사해주었다. "너의 그 선한 마음이 겉으로 전달될 때는 이런 오해로 변질될 때도 있을 거 같아. 너무 안타깝지만 모두가 네 마음을 볼 수는 없기 때문에 나의 마음을 전달할 필요가 있어. 해보지 않아서 어색하겠지만 너의 그 의도만이라도 전해보자."

나의 말을 들은 친구는 5초 정도 아무 말없이 가만히 있었다. 순간 나는 친구에게 또 상처를 줬나? 하는 걱정이 들었다. 잠시 후 "네가 이렇게 말하니까 내가 눈물이 나잖아. 어떻게 이렇게 내 마음을 들여다본 것처럼 아는 거야?" 목이 메어 떨리는 목소리로 말하는 친구의 목소리를 들으니

나 또한 안도감과 안쓰러움에 목이 메어왔다.

그동안 얼마나 이 친구에게 나도 모르게 상처주는 말을 해왔을까! 무척 미안했다. 그래서 20년 동안 친구를 위한다는 미명 아래 내가 줬던 상처들을 갚는다는 마음으로 이자쳐서 30년 동안 친구의 고민을 다 들어준다는 약속했다. 햇살처럼 환하게 웃고 있을 친구의 얼굴이 내 마음도 환하게 비춰주었다. 이처럼 에니어그램은 나뿐만 아니라 내 주변에까지 영향을 끼치는 귀한 존재이다.

화성에서 온 남편과 금성에서 온 아내

항상 투닥투닥 소소한 싸움을 벌이는 지인 부부가 있다. 아내는 남편이 사 온 10만 원 상당의 그릇 건조대가 마음에 안 든다며 저런 걸 왜 사 오는지 모르겠다고 불만을 토로한다. 남편은 사다 줘도 불만이냐며 아직도 설치도 안 하고 있다며 답답하다고 소리친다. 이 두 사람의 진심은 무엇일까?

2번 유형인 아내는 남편이 무언가 사올 때마다 자신이 하는 집안일에 토를 달고 잔소리를 하는 것 같아 마음이 상한다고 했다. 3번 유형인 남편은 좁은 싱크대 위에서 끙끙 거리는 게 보기 불편해 열심히 검색해서 가장 싸고 질 좋은 제품으로 주문해 온 거라고 한다. 듣고 보니 남편의 의도가 참 다정하고 따뜻한 이유이다. 그런데 왜 아내에겐 제대로 전달되지 않는 걸까?

그 이유는 바로 유형의 차이 때문이다. 2번 유형 아내는 같은 물건이라고 말로 먼저 표현을 해줘야 한다. "여보, 당신도 알다시피 우리 싱크대가 좀 좁잖아. 도마질할 때 좁아서 당신 힘들어하는 모습 보니까 너무 안쓰러워." 그래서 이걸 샀다고 했다면 아내는 눈물을 펑펑 쏟았을지도 모르겠다. 하지만 3번 유형인 남편은 성취를 이룸으로써 능력을 인정받고 싶어하는 유형이기 때문에 자신이 열심히 검색해서 사온 물건에 대해 아내의 반가워하는 반응이 있어야만 기분이 좋아진다.

에니어그램을 배우지 못했다면 이런 행동 패턴이 보이지 않았을 텐데 마침 이 상황이 내 눈앞에서 펼쳐졌고, 나는 내 생각이 맞는지 확인도 하고 맞는다면 작게나마 도움이 될 것 같아 9번 유형 특유의 중재자 역할을 하게 되었다.

먼저 아내에게 남편의 어떤 부분이 마음을 불편하게 했는지 얘기하고 공감해 주며, 남편의 인정 욕구를 알려주었다.

결코 아내에게 잔소리를 하려거나 지적하려고 했던 것이 아니었음을 전달했다. 그리고 남편에게는 당신의 선한 의도는 알겠지만 아내는 남편의 말투와 눈빛 손짓 하나에 많은 의미를 부여하기 때문에 어떤 도움을 주고 싶었던 건지 다정하게 말해달라고 부탁했다.

나의 조언을 들은 아내는 남편에게 다가가 나를 생각해서 사다 준 건지 몰랐다며, 내 살림방식이 마음에 안 들어서 지적하는 건 줄 알았다며 빨리 설치해달라고 채근했다. 이 말을 들은 남편은 용기 내어 "저번에 좁은 데서 칼질하다가 다칠뻔 했잖아. 그래서 사 온 거야"라고 서툴게나마 진심을 전했다. 남편의 말을 들은 아내는 아침에 핀 나팔꽃처럼 청초하고 환한 미소를 지으며 진심으로 고맙다고 말했다. 다 설치하고 나서 이리저리 살피며 무언가를 기다리는 남편을 알아채지 못한 아내에게 나는 슬며시 다가가 "남편분이 아내의 소감을 기다리고 있어요."라고 알려줬다. 아내는 이 방향이 더 좋다고 남편의 수고를 한번 더 인정해주고 세워주었다. 한결 부드러워진 남편의 눈매와 아내의 미소가 내 마음도 따뜻하게 채워 주었다.

한 걸음 떨어져 나를 알고 상대를 알게 되니 그동안 보이지 않던 갈등의 실마리들이 풀리기 시작했다. 나의 배움을 나누며 타인에게 도움이 되는 일이 이렇게 큰 만족감을 주는 일인 줄 이때까지 잘 몰랐다. 이번 일을 통해 에니어그램의 힘을 느꼈고 관계 속에서 소소하지만 반복된 갈등을 겪고 있는 사람들에게 도움을 주고 싶다는 생각이 들었다.

결국 나로부터 시작된다

에니어그램을 배우는 시간은 나를 찾아 떠나는 여정이라고 생각한다. 내 삶이 지속되는 한 이 여정은 계속되어야 하고 그 여정 위에서 만나는 사람들은 모두 나의 스승이라고 생각한다. 내가 에니어그램을 배우고 얻은 가장 큰 소득은 바로 '잠시 멈춤' 그리고 '알아차림'이다. 목표를 위해 노력하고 있는 한 실패는 없다고 한다. 다만 성공에 다다르기 위한 과정인 것이다.

나는 매일 흔들리고 실수하고 자책하게 될 것이다. 하지만 거기서 끝이 아니다. 흔들릴 때마다 잠시 멈추고 내가 흔들렸다는 걸 알아차릴 것이다. 어떨 때 흔들렸고 어떤 생각과 행동을 했는지, 이런 반사적인 반응을 기록하고 관리하며 나는 나의 의식 수준을 높이고 나를 알아가고 인정하며 수용해갈 것이다. 그렇게 배운 것을 나누고 다시 깨달으며 내게 주어진 삶 그 자체에 가치 있음을 잊지 않고 매일 행복의 구슬을 모으며 살아갈 것이다.

Episode 4

나를 찾아 떠나는 자유의 여정

최덕근

EPISODE4

나를 찾아 떠나는 자유의 여정

최덕근

"에니어그램은 나다운 나를 찾고,

자유로운 존재로서의 삶을 꿈꾸게 한다"

아프면서 비로소 보게 된 것들

삶의 길목에는 때때로 예상치 못한 전환점이 나타나곤 한
다. 퇴직 후 새로운 지방으로 이사하고 느닷없이 찾아온 다

리 통증은 나의 삶에 큰 변화를 가져왔다. 외부 활동이 어렵게 되자 자연스럽게 내면을 들여다보는 시간을 갖게 되었고, "나는 누구인가"라는 질문이 올라왔다. 나뭇잎을 모두 떨구고 홀로 서 있는 나무처럼, 나는 다양한 역할과 정체성을 벗어나 오롯이 '나'와 마주하게 되었다.

그동안의 삶은 성취와 책임, 타인에 대한 배려로 가득했지만, 이제 진정한 자유를 찾고자 하는 여정이 시작되었다. 에니어그램은 그 여정의 동반자가 되어주었다. 처음에는 한 가지 유형으로 규정짓는 것이 불편했지만, 내가 반복해서 걸려 넘어지는 지점을 알아차리게 되면서부터 오히려 점점 더 자유로워지고 있다.

아프면서 비로소 보게 되었고, 에니어그램을 통해 나의 내면세계를 깊이 만나고 있다. 더 나아가 부모님의 사랑과 헌신, 남편과의 갈등과 이해, 자녀에 대한 공감과 수용, 그리고 다양한 사회적 관계 속에서의 경험들이 에니어그램을 통해 새롭게 해석되고 치유되고 있다. 에니어그램은 '나다운 나'를 찾고, 본성대로 '자유로운 존재로서의 삶'을 살아갈 수 있다는 희망을 준다. 나는 에니어그램을 공부하면서 나를 더 사랑하게 되었다. 나무가 새로운 싹을 틔우고 꽃을 피우듯이, 나는 있는 그대로 내 모습을 받아들이며 자연스럽게 나만의 꽃을 피우는 중이다.

선한 것은 달팽이처럼 나아간다.

나는 3년 전에 퇴직했다. 하고 싶은 일을 하며 즐겁고 자유로운 삶을 살고 싶었지만, 느닷없이 다리가 아파서 걸을 수가 없게 되었다. 도대체 나에게 무슨 일이 일어난 걸까? 내 삶을 돌아보게 되었다. 인생이라는 길 위에서 경주마처럼 앞만 보고 달려오다 모든 걸 멈춘 느낌이었다. 하늘과 맞닿아 있는 텅 비고 아득한 벌판에서 길을 잃고 홀로 서 있는 듯했다. '난 누구지?' '여기가 어디지?' '어디로 가야 하지?' 하는 질문이 올라왔다.

외부로 향하던 시선이 내면으로 향하게 되었다. 그동안 역할에 충실했던 모습에서 벗어나 '존재로서의 나', 아파서 '아무것도 할 수 없는 나'의 모습을 마주했다. 여러 역할과 책임에서 벗어났고 시간과 공간의 여유가 많아졌지만, 여전히 뭔가 짊어지고 있었다.

그 무렵, 운명처럼 에니어그램을 만나게 되었다. 처음에는 '자유로워지고 싶은 나를 왜 하나의 틀 안으로 가두려 할까?' 하는 생각이 들었다. 점점 자유롭고 싶다는 건 본성으로 돌아가는 게 아닌가? 어떻게 본성으로 갈 수 있지? 나를 얽어 매고 있는 그물이 무엇인지 궁금했다. 그렇게 에니어그램과 함께 '자유를 찾아 떠나는 내면 여행'이 시작되었다.

나는 1번 유형이다. 본성은 '완전, 선함, 올바름'이다. '나는 올바르고 정의로우며 책임감이 강한 완벽한 사람이다'라는 자아 이미지를 가지고 있다. 본성대로 살 때 '평온'의 미덕대로 살아간다.

난 어떻게 1번 유형이 되었을까? 여섯 살 때 쌍둥이 동생이 태어났다. 어머니는 혼자 아기 둘을 돌보기 어려우니 내게 동생 하나를 돌봐 달라고 부탁하셨다. 나는 온몸과 마음을 다해 동생을 돌보았다. 눈이 펑펑 쏟아지는 겨울 어느 날, 나는 까치발을 하고 빨랫줄에 꽁꽁 얼어 있는 기저귀를 모두 거두었다. 장을 보고 돌아오신 어머니는 동상에 걸려 퉁퉁 부풀어 오른 내 손을 잡고 눈물을 흘리셨다. 그렇게 나는 부모님을 기쁘게 해드리는 착한 아이로 자라났다. '사랑받기 위해서는 선해야 하고 선하기 위해서는 올바르게 행동해야 해.'라는 내면의 소리가 점점 커져만 갔다.

1번 유형의 특성인 책임감이 강하고 독립적으로 나만의

기준과 영역을 구축해 나갔다. 정직하고 성실하게 누구에게나 공평하고 친절하게 대하려고 애썼다. 공정하지 않거나 내 영역을 침범하는 경우엔 분노가 올라왔다. 그러나 겉으로 드러내지 않고 이해하려고 애쓰며 분노의 감정을 억눌렀다.

나와 타인을 판단하며 자신의 기준에 맞지 않을 때 은근히 강요하고 비판하고 지적하기도 한다. 나와 세상을 좀 더 나아지게 하고 싶다는 사명감이 있다. 세상에 대한 연민과 연결을 꿈꾸고 있다. 그러기 위해서는 좀 더 지혜로워져야 하지 않을까 생각하며 공부하고 있다. 끊임없이 노력하면서 내면의 자기 검열로 스스로 엄격하게 대하는 내 모습을 바라본다. 이상주의를 꿈꾸며 나에게 높은 기준을 설정해 놓았기에 늘 부족하다고 생각했고 실패가 두려웠다. 내 생각은 수시로 미래로 가 있었고 나도 모르게 삶을 통제하려고 했다. 그동안 이렇게 나만의 틀에 맞추어 경직되고 긴장된 삶을 살아왔으니, 몸과 마음이 얼마나 힘들었을까? 이제 내면의 보이지 않는 전쟁을 멈추고 평화로 나아가자. 지금까지 살아온 나의 삶과 현재의 내 모습 그대로를 인정하고 받아들인다.

나는 공정에 관심이 많다. 사전적으로 공정은 '공평하고 올바름', 공평은 '어느 쪽에 치우치지 않고 고름'을 의미한다. 정의의 여신이 그리스 신화에서는 디케 (Dike) 이고 칼을 들고 응징하는 모습이다. 로마신화에서는 유스티티아 (Justitia)로 눈을 가린 채 저울을 들고 있다. 나도 그동안 다른 사람에게 내 틀을 강요하고 비판하며 칼을 겨누었던 걸 이제 멈추려 한다. 나를 향하되 편견 없이 균형을 이룬 저울을 마음에 품고 살고 싶다. 몸과 마음, 외부와 내부, 현실과 이상, 과거나 미래로 기울지 않고 현재에 충실하며 오직 이 순간을 살기로 하자.

균형 있는 삶은 본성대로 사는 것이다. 나를 바꾸려 하지 말고 더 깊이 이해하며 나를 있는 그대로 존중하고 사랑할 때 본래의 나를 회복하여 나다운 삶으로 나아가는 게 아닐까? 난 1 번 유형이고 "선하고 올바르며 균형 있는 삶"을 향해 가고 있다. 나에게도 좋고 남에게도 좋은 삶! 나와 남을 힘들게 하지 않으면서 편안하고 자연스럽게, 기꺼이 내어주는 모습 말이다. "선한 것은 달팽이처럼 나아가는 것입니다." 라는 간디의 말을 마음에 깊이 새기며 서두르지 않고 천천히 하나씩, 한 걸음씩 나아가기로 한다.

부모님의 '사랑의 유산'

어머니의 오랜 기침은 좀처럼 나아지지 않았고, 결국 3월에 독감으로 입원하셨다. 임신 중인 나를 걱정하신 어머니는 병원에 오지 말라고 하셨지만, 어느 날 병문안을 갔을 때 어머니의 팔에 푸른 반점이 보였다. 검사 결과는 폐암 말기였고, 어머니는 며칠 후 수술 도중 돌아가셨다. 늘 강인하고 배려심 많은 분이셨다. 마지막까지 아픈 내색 없이 참아내셨던 어머니는 에니어그램 2번 유형이었다.

어머니는 고등학교 시절 학생회장을 지낼 만큼 리더십이 뛰어나셨고, 친척들 사이에서는 분위기 메이커로 인기가 많았다. 그녀는 항상 남을 존중하고 베푸는 삶을 살았다. 어머니가 부엌에서 일하면서 부르던 노랫소리가 그립다. 어머니는 우리 6남매를 키우면서도 성당과 사회에서 봉사활동을 하셨다. 그러나 뛰어난 능력을 발휘하지 못하고 일찍 돌아가신 것이 안타깝다.

아버지는 충실한 의무를 수행하는 에니어그램 6번 유형이었다. 경찰공무원으로 성실하고 강한 책임감으로 국가에 충성하셨다. 장마철 낙석 사고로 맨몸으로 돌을 치우다 교통사고로 중상을 입고 장애인이 되었다. 더 큰 사고를 막은 아버지의 희생은 안타깝지만, 한편으로는 자랑스러웠다. 아버지는 가족의 안정된 미래를 위해 근검절약 하며 평생을 바쳤다. 부모님의 꼼꼼한 가계부는 우리 가족의 역사를 고스란히 담고 있다. 아버지는 사고로 인해 국가유공자가 되었지만, 장애로 인한 고통과 가족의 어려움을 뼈저리게 느꼈고 결국 죽음에까지 이르렀다.

젊은 시절, 어머니와 아버지가 모두 갑자기 돌아가셨고 나는 깊은 상실감에 빠졌다. 처음에는 버림받은 느낌이 들었고, 공포와 절망이 밀려왔다. 시간이 흐르면서 부모님과 좋은 추억을 떠올렸다. 어머니는 헌신과 배려로 살아오셨고, 아버지는 성실함과 책임감으로 가정을 지키셨던 걸 기억하며 견뎌냈다. 그들의 삶은 나에게 큰 가르침이 되었다. 에니어그램을 배우며 부모님의 성격 유형을 생각하고 더 잘 이해하게 되었다. 부모님을 용서하고 용서를 청하기도 하면서 깊은 연결감을 느꼈다.

어머니와 나누었던 마지막 대화가 떠오른다. "이제부터는 내가 하고 싶은 거 다 하면서 살 거야. 여행도 가고 봉사도 하고 맛있는 것도 먹으러 다니면서 말이야." 전혀 죽음을 예상하지 못한 채 환하게 말씀하셨던 모습이 아직도 생생하다. 어머니의 마지막 미소는 내게 삶의 의미와 사랑을 다시

금 일깨워 준다. 아버지가 사고로 장애인이 되신 후, 나는 누구나 장애인이 될 수 있다는 사실을 깨달았다. 아버지 덕분에 많은 고정관념이나 편견이 깨졌고 자비를 배우게 되었다.

부모님의 바람처럼, 나는 삶의 의미를 찾아 자유롭게 나아가고자 한다. 어머니의 헌신과 아버지의 책임감을 되새기며, 하루하루 감사하며 살아간다. 두 분의 삶은 내게 큰 유산이 되었다. 어떻게 사랑하며 살고, 평온한 죽음을 맞이할 것인가를 생각하며, 부모님의 가르침을 마음에 품고 있다. 부모님 덕분에 나는 삶을 더 깊이 사랑하게 되었고, 두 분의 삶이 내게 준 모든 것을 소중히 여기며 살아가고 있다.

에니어그램을 통한 부부 관계의 이해와 사랑

에니어그램 공부를 하면서 나에 대해 점점 더 알아가고 있다. 다른 사람들을 대할 때도 본질적인 동기를 보게 되고 더 가까이 다가가게 되었다. 부부 관계도 새로운 시각으로 바라보게 되었으며 함께 성장의 길로 가고 있다.

남편은 9번 유형이다. 9번 유형은 평화를 중시하며 안정감이 있다. 사람들을 화합시키고 갈등을 치유하는 힘이 있다. 남편과 이야기를 나누면 이해받고 있다는 느낌이 들고 마음이 평안해진다. 수용적이라 나에게 잘 맞춰주고 딸과 대화할 때는 딸의 마음이 되어주며 아들에게는 늘 든든한 지원군이 되어준다.

그러나 서로 다른 차이로 이해하지 못하고 갈등을 겪는 경우가 종종 있었다. 예를 들어, 나는 1번 유형이라 일을 할 때 꼼꼼하고 완벽하게 하고 싶어하고 모든 일을 체계적으로 처리하려 했다. 반면 남편은 중요하지 않은 일에 대해서는 신경을 덜 쓰고 미루는 경향이 있다. 이런 차이로 인해 나는 남편이 게으르다고 생각했고, 남편은 내가 예민하다고 했다.

에니어그램을 배우고 나서, 남편의 성격 유형을 이해하게 되었다. 서로 다른 특성을 인정하며 존중하게 되었고, 의견이 다를 때는 감정을 표현하고 대화로 풀어가며 조율하고 있다. 에니어그램으로 우리 부부의 관계는 더 편안해지고 이해가 깊어지고 있다.

에니어그램을 통해 변화한 우리 부부의 경험은 상담할 때도 큰 도움이 되었다. 한 부부의 사례를 보면, 남편이 5번 유형이고 부인은 2번 유형이다. 전문직에 종사하는 남편은 사색적이며 지식과 정보를 중시하고 독립적인 성향이 강하다.

전업주부인 부인은 친절하고 다른 사람을 도우면서 사랑받기를 원하는 성향이 강하다. 이 부부는 성격 차이로 인해 심한 갈등을 겪고 있었고, 부인은 이혼하고 싶을 정도로 결혼 생활이 힘들다고 했다.

남편은 혼자 있기 좋아하고 늘 공부하며 자신만의 공간과 시간을 소중히 여겼다. 부인에게는 시간을 내어주지 않았고 집안일도 거의 하지 않았다. 부인은 남편의 인색함과 무관심에 상처받고 외로움과 우울함을 느꼈다. 부인은 남편이 관심을 기울여 주고 대화하기를 바랐지만, 남편은 아내의 요구가 부담스럽게 느껴졌고 외면했다. 이 부부에게 에니어그램 검사를 하고 서로 다른 성격적 특성을 이야기해 주었다.

남편은 부인이 왜 그렇게 애정과 관심을 바라는지 이해하게 되었고, 부인은 남편이 자신의 공간과 시간을 중요시하는 이유를 알게 되었다. 서로가 원하는 것에 관해 대화하며 방법을 찾도록 도왔다. 남편은 상황의 심각성을 알게 되었고 부인과 함께 하는 시간을 늘리겠다고 했다. 집안일을 분담하며, 말과 행동으로 사랑을 표현하겠다고 다짐했다. 부인은 남편에게 혼자 있는 시간과 공간을 인정해 주고, 남편의 관심사에 호기심을 가지며 함께 대화하겠다고 했다. 서로 다름을 이해하고 실천해 가면서 부인의 우울감이 낮아지고 부부 사이에 변화가 일어나기 시작했다. 배우자를 우선순위로 두게 되었고 관계 개선에 큰 도움이 되었다.

이렇게 에니어그램은 부부 갈등을 줄이고 문제 해결에 매우 유용하게 쓰일 수 있다. 에니어그램은 우리 부부뿐만 아니라 다른 부부에게도 성장과 변화를 가져다주었다. 서로의 성격 유형을 이해하고 알아가는 과정에서 더 깊은 배려와 사랑을 경험할 수 있었다. 이를 통해 더 행복하고 평안한 부부 관계를 유지할 수 있게 되었다.

관계 속에서 피어난 성장 이야기

가족과 함께 사회생활을 떠올리니 직장, 공동체, 성당, 봉사단체, 학인들, 친구 등 많은 만남이 파노라마처럼 지나간다. 다양한 관계 속에서의 나는 어떠한가? 불현듯 떠오르는 장면이 있다. 신혼 초 미국에 사는 시누이가 한국에 왔을 때의 일이다. 온 식구가 공항으로 마중을 나갔고, 나는 시댁에 혼자 남아 저녁 식사를 준비해야만 했다. 퇴근 후 피곤했던 나는 깜빡 졸다가 깼다. 저녁 식사를 준비해야 한다는 부담감에 급하게 부엌으로 들어가다가 젖어있던 계단에서 미끄

러져 넘어졌다. 통증이 너무 심했지만, 아픈 발은 들고 한 발로 서서 밥을 짓고 반찬을 만들어 상을 차렸다. 다음 날 병원에 가보니 골절상이었다.

다 잊어버린 줄 알았던 이 장면이 갑자기 왜 떠올랐을까? 젊은 시절의 나는 과도한 책임감과 지나친 배려로 자신을 돌보지 못했다. 그때는 몰랐지만, 에니어그램을 배우고 나니 1번 유형의 특성인 책임감과 완벽주의 성향이 그대로 드러난 모습이다. 착한 며느리와 올케의 역할을 성실하게 수행하기 위해서 아픈 몸으로 저녁상을 계획한 대로 다 차려놓았다. 공항에서 돌아온 가족들은 내 다리의 상황이 심상치 않음을 염려했고, 그럼에도 불구하고 상을 차렸다는 사실에 깜짝 놀랐다. 지금 생각해 보니 본질에 충실했다면 먼저 아픈 몸을 살피고 감정을 돌봤어야 하는데 난 그러질 못했다. 좋은 사람이 되기 위해서는 옳은 일을 하고 책임감 있는 행동을 해야 한다는 내면의 소리를 따른 것이다. 결국 '에고'에 휘둘렸다는 사실을 이제야 알아차렸다.

학교에서도 교사로 근무하면서 학생들을 대할 때 1번 유형의 특징인 공정함을 실천하려고 노력했다. 공부를 잘하든 못하든 학생들을 인격적으로 존중해 주고 차별 없이 치우치지 않게 사랑하려고 했다. 늘 맡은 역할에 강한 책임감으로 매사에 성실하게 임했다. 좋은 평판을 얻기 위해 최선을 다했고, 맡은 일은 꼼꼼하게 해냈다. 다른 사람을 먼저 배려하고, 주변 사람들이 모두 행복하길 바랐다. 그동안 애썼다고 잘 살아왔다고 말해주며 스스로 다독인다. 이제는 나를 안아주고 위로할 줄 알게 되었다.

퇴직 후, 나는 여러 가지 역할에서 벗어나 '존재로서의 삶'을 살기로 결심했다. 외부의 시선이나 평가에서 벗어나 나다운 삶을 살아가자고 말이다. 나와 타인에 대한 높은 기대를 내려놓고 현실에 충실하며 자유롭고 유연한 삶을 살고 싶었다.

그러나 오랜 습관은 나만의 행동 패턴으로 아로새겨져 있었고 쉽게 바뀌지 않았다. 마음이 고요하길 원했지만 속은 소란했고, 물 흐르듯 자연스럽게 살고 싶었지만 걸림이 있었다. 에니어그램을 통해 내가 왜 그랬는지, 내 마음의 걸림이 무엇인지 이해하게 되었다. 1 번 유형인 나는 맡은 역할에 대한 책임감이 강하고, 선과 평화, 옳은 삶을 지향해 왔다. 다른 사람을 도우며 모두가 행복하길 바랐지만, 때로는 내 방식대로 살기를 강요하며 그들을 불편하게 했을지도 모른다. 에니어그램을 통해 보더라도 세상을 바라보는 렌즈는 다양하고 저마다 추구하는 가치와 삶의 방식이 다 다르지 않은가.

"지옥으로 가는 길은 선의로 포장되어 있다."라는 유럽 속담이 떠오른다. 나의 선의가 사랑하는 이들을 불편하게 하지 않았는지 돌아본다. 곰곰이 생각해 보면 나는 어려운 상황에 놓여있을 때 문제를 해결해 나가는 과정에서 많은 걸 배웠다. 관계 안에서는 상대방을 어떻게 헤아릴 수 있을지를 고민하고 마음의 문제라면 어떻게 평온하게 될지 생각했다. 아픔과 고통 속에서 시야가 넓어지고 통찰력이 생겼다. 그렇다면 누구나 해당하는 게 아닐까? 사랑하는 이들의 선택을 믿고 신뢰하며 성장 가능성을 믿자. 실패하든 성공이든 배움은 일어나니까 두려워하지 말자. 누군가가 도움을 요청하기 전에는 믿고 응원해 주면 된다. 행복해지기를 바라는 마음으로 미래를 걱정하며 조언하고 충고하는 건 이제 멈추자. 그게 바로 사랑이라는 이름으로 행하는 1번의 지적질이 아닌가.

또한 나는 머리로는 이해하지만 행하지 못하고 있는 습관들이 여럿 있다. 내가 습관을 바꾸기 힘들 듯이 다른 이들도 마찬가지가 아닐까? 다른 사람에게 그리고 나에게도 강요하지 않고 자연스럽게 받아들이자고 생각한다. 나와 타인에 대한 높은 기대를 내려놓고, 에고에서 벗어나 본질로 돌아가기를 바란다. 내가 틀릴 수도 있다는 마음으로 늘 유연하게 생각하려고 노력 중이다.

에니어그램 글쓰기 수업을 받으며 나는 점차 깨닫게 되었다. 내가 붙들고 있는 것들을 이해하고, 가슴으로 느낄 때 비로소 명쾌해졌다. 그때가 본질을 경험하는 순간인 듯하다. 나는 서두르지 않고 내 속도대로 걸어가고자 한다. 나를 가로막는 습관들과 자동 반응이 나타날 때마다 알아차리고, 판단을 멈추고, 감정 흘려보내기를 연습하고 있다.

에니어그램을 통해 나는 다른 사람을 바라보는 눈이 달라지고 있다. 에니어그램은 나 자신과 타인을 더 깊이 이해하게 하고, 더 편안한 관계로 나아가게 한다. 우리는 각자의 성격 유형에 따라 다르게 행동하고 반응한다. 에니어그램은 이러한 차이를 이해하고 존중하게 도와준다. 다양한 관계 속에서 나는 성장하고 있고 서서히 변화하고 있다. 진정한 나를 찾아가는 길 위에 있으며 내 삶의 중요한 전환점이 되었다.

모든 사람은 자신만의 색깔을 가지고 있으며
그 색깔을 발견하는 것이 인생의 목적이다

파블로 피카소

Episode 5

만나야 할 인연

김희수

EPISODE5

만나야 할 인연

김희수

"인간에 대해서 탐구하는 사회과학을 연구하는 사람으로서,

에니어그램과의 인연은 좋은 도반과의 만남이다."

나는 누구일까? 나는 왜 태어났는가? 내 삶은 무엇일까? 오랫동안 이 질문에, 종교에 대한 믿음으로, 마음공부를 하고, 심리학을 공부하고. 아직도 정답을 찾지 못해서 헤매는 중이고 지금도 답을 풀기 위해, 찾아가는 과정에 있는 것 같

다. 그 물음의 인연으로 운명처럼 우연히 에니어그램을 만나게 되었다.

에니어그램을 만나면서 내 삶에 대한 답을 퍼즐 조각을 찾아 하나씩 끼워 가면서 내 삶에 대한 그림과 답을 찾아가고 있다. 많은 시간동안 나에 대한 정체성에 대해 갈구를 해 왔다.

에니어그램을 배우면서 내가 8번임을 알게 되고, 가족이라는 울타리 안에서 8번의 특성이 많이 나타나지 않았던 나를 보게 되면서, 내 유형을 찾는데 다른 사람에 비해 많은 시간이 필요했고 내가 지나온 내 삶의 버거움을 재조명하게 되었다. 약 내가 8번이라면, 제대로 8번처럼 살 수 없어서 그토록 삶이 우울하고 힘들었던 것일까?

에니어그램과의 만남 후, 나는 하나씩 지금도 내 삶의 무게를 가볍게 하기 위해 애쓰고 있다. 내 깊은 내면에서 올라오는 감정을 왜, 일렁이는지를 알게 되니 그 마음에 대처하는 방식도 조금은 너그러워지고 여유가 생기는 것 같다.

또한 사람과의 만남에서 에니어그램은 늘 소환이 되어 그들을 이해하고 배려하는 도구로 잘 활용이 되고 있다. 덕분에 내가 나를 대하는 태도, 사람들을 대하는 태도에 조급함이 많이 사라지고 깊이와 편안이 많아지는 것을 경험하게 되었다.

'1만 시간의 법칙'은 1993년 미국 콜로라도 대학교의 심리학자 앤더스 에릭슨(K. Anders Ericsson)이 발표한 논문에서 처음 등장한 개념으로 어떤 분야의 전문가가 되려면 최소한 1만 시간 정도의 훈련이 필요하다는 법칙이다. 1만 시간은 매일 3시간씩 훈련할 경우 약 10년, 하루 10시간씩 투자할 경우 3년이 걸린다는 것이다.

위의 이론처럼 나의 삶에서 버거움을 내려놓고 행복을 가지기 위해서는 많은 시간이 필요할 것이다. 이 많은 시간의 노력에 에니어그램은 좋은 스승이자 도반이 되어 줄 것이라고 생각한다.

가면을 썼던 내면아이

심리학의 애착이론에 보면, 생후 2년 안에 형성된 애착으로 인간은 사람과의 애착 관계에 대한 틀을 가진다고 된 내용이 있는데, 나는 가족 안에서 불안한 애착을 만들어 낸

유형이었다.

8번이 불안한 애착을 가지고 성장을 하면서 그 사회 안에서 살아내기에 본연의 지도자 성향은 버리고 조력자의 에너지를 가져와 사용하면서 그 가족 안에서 살고 있어서 내 삶은 늘 전쟁이었고 행복할 수 없었던 것 같다.

에니어그램을 배우고 난 후 나에 대한 어릴 적 분석을 해 보면서 '나'라는 사람에 대한 재해석을 하게 되었다. 남성우월 주의가 당연시 되었던 대가족 서열에서 나의 위치는 막내 딸의 바로 위, 막내 동생은 막내라는 이유로 사랑을 받았지만 나는 그저 많은 딸 중에 하나였을 존재였다. 이때부터 나는 본능적으로 가족 안에서 어떻게 해야 자신이 살 수 있는지 알았던 것 같다. 가족이라는 울타리 속에서는 유령처럼 사는 방법을 선택했다. 8번은 타고난 특성 중에 높은 생존에 대한 적응력을 강하게 갖고 있다고 한다. 아마 나는 본능적으로 내 가족의 분위기와 내가 출생한 서열상 절대 주도권을 가지기는 힘들 다는 판단을 하였고, 그 판단은 어렸지만 본능적으로 알았던 것 같다. 8번은 본인이 주변을 통제를 못할 경우에 아예 그 조직에서 스스로를 고립시켜 버린다. 모 아니면 도, 덕분에 위험을 많이 가지는 비효율적인 면의 본능도 가진 8번이어서 그랬던 것 같다.

동일한 기억이지만 해석이 달라진 사례로 본다면, 어릴 적 초등학교를 입학해야 하는데 나는 체구가 작아서 학교에서 잘 적응할까 걱정이 될 정도였다고 한다. 가족의 걱정과는 달리 나는 학교에서 공부도 잘하고 나름 자기 존재감을 보이는 아이였다는 말은 들은 기억이 어렴풋이 떠오른다. 유령처럼 존재하던 아이가 체구도 작아서 가족들은 나의 학교생활에 대해 많은 걱정을 했다. 요즈음 기준으로 보면 학교에서 학폭과 왕따의 대상이 될 지도 모른다는 우려와 달리 학교에서 받아오는 시험지도 대부분 100점을 받아오는 우등생의 모습으로 가족들을 놀라게 했던 사례가 있다. 당시는 에니어그램을 몰랐지만 8번의 특성 중 하나로써 생존력이 발현되어, 학교 생활에 적응을 못하면 패배자가 된다는 것을 무의식에서 인지하였던 것 같았다. 성공을 목표로 하는 8번이 가지는 욕망을 잘 나타나게 하는, 생존을 위해서 환경에 적응을 해내는 성향을 보여주는 것이 아니었을까 어렴풋이 생각이 든다.

　더불어 어리지만 무의식적으로 8번의 특징인 생존에 대한 본능은 일찍이 가정에서부터 사회화를 잘한 행동 패턴에서도 나타났다는 생각이 든다. 언니, 오빠가 학교에서 가져온 책을 보면서 자연스럽게 책이라는 세계를 만나게 되면서 나는 책을 좋아하는 아이가 되었다. 지금 생각해 보면, 내가 책을 좋아하는 이유는 당시의 가정환경이 8번의 본질로 살지 못하는 현실의 나를 벗어나고자 하는 욕구가 반영되었던 것 같다. 또한 날개 에너지로 7번 에너지도 사용하면서 책에서 보이는 성공사례와 행복한 삶들의 이야기를 보면서 대리만족의 의미로 독서를 좋아한 것이 아니었을까? 그런 이유로 어른이 된 지금도, 모든 종류의 책을 보고 즐겨 읽으나 기분이 좋지 않을 때에 성공한 사람의 성공이야기, 로맨스 소설류를 읽는 행동 양상을 보이는 것 같다.

내가 어릴 적에 책을 좋아하고 많이 읽은 편이어서 정신적으로 또래보다 어른스럽다고 스스로 생각했었다. 어릴 때 아이답지 않은 언어를 자주 사용해서 '애 어른'이라는 말을 종종 듣고 했었는데, 이 또한 8번의 특성이고 내가 가정이라는 사회 안에서 잘 성장하기 위한 생존 본능에서 나온 선택이었음을 알게 되었다.

자신에 대한 이야기를 짧게 적어보면서, 마음공부를 하면서, 삶이 덧없다는 옛 선인들의 말에 많은 공감을 하면서도 한 구석의 내 가슴에서는 왜 욕망은 꿈틀꿈틀되고 있는 것인지, 과거에는 도무지 내가 나를 이해할 수 없었다. 요즈음 내 내면에서 가끔 욕망이 올라오는 나를 느낄 때마다 아, 욕망이 많은 8번이어서 본능적으로 '이 욕망이라는 놈이 나를 흔들고 있구나'라는 생각을 한다.

일상의 삶에서 냉정하지 못해서 손해를 보는 경우가 많이 있어서 냉정함이 부족한 내 성격이 싫었던 경우가 많았다. 에니어그램을 배운 후에 이 점은 냉정함의 부족함보다는 불의를 못참고 약자를 보호하려는 8번의 특성에서 비롯됨을 알았을 때 좋은 관점의 방향으로 바라보면, 나는 정의로운 사람이었던 것이다.

아무리 아파도 힘들어도 남 앞에서는 약한 모습을 보이기 싫어하는 마음과 약한 행동도 하지 않으려고 노력하는, 가끔 한밤중에 남몰래 엉엉 울던 내 행동양상에 대해 나 자신에게 호된 자책을 했었다. 호된 자책과 내 자신을 한심하고 부끄럽게 느끼던 내 마음의 원천이 약함을 회피하는 8번의 특성임을 알고, 자신이 가지는 있는 그대로 인정하고 수용하는 연습을 하나씩 해 보려고 한다.

나에게 있어 삶이란 내 본질을 알고 의식 성장을 하나씩 해 가면서 자신만의 방식을 인생의 대한 퍼즐을 풀어가는 게 과정인 것 같다. 풀어가는 과정이 쉽지는 않겠지만 삶의 결말은 성공과 행복으로 마무리가 되면 좋겠다.

'달그락' 가족 이야기

에니어그램의 기초과정에서 전문가과정까지의 수업을 수강하면서, 나는 '엄마'를 늘 생각하고 있었다. 나에 대해, 내 가족에 대한 근원의 시작과 끝에는 항상 엄마가 자리 잡고 있었기 때문이다. 어릴 적부터 나의 존재에 대해 의심을 많이 했었다. 성장기부터 나는 나에 대해 알고 싶었고, 내 가족과 나의 인연에 대해 끊임없이 궁금했고 탐구를 했었다.

그러기에 나에 대해 생각하고 분석하는 에니어그램 수업에서 내 삶의 시작인 엄마가 떠오르지 않으면 이상한 일인 것이다. 엄마에 대한 회상과 더불어 엄마 유형을 생각하고 있었다. 나의 엄마는 이미 오래전에 돌아 가셨기에, 엄마가 에니어그램의 유형에서 몇 번일까? 오래전 기억들을 소환시켜가면서 그녀의 삶을 기억하고, 아파하며, 분석하였다. 내 기억 속에 엄마는 8번이었던 것 같다.

1930 년대에 출생한 대부분의 여자들의 삶이란 지금 현대사회에서는 생각지도 못할 억압을 받는 시대에서 살았다.

더구나 차녀이었으나, 장녀 역할을 해야 했던 엄마는 시댁을 위해 살았고 남편에게 순종하며, 자식을 위해 헌신하는, 평생 자신의 삶은 없는, 강한 생활력으로 남에게 치부를 보이지 않는 자존심만으로 버티어 왔던 분이었던 것 같다. 엄마가 8번이라면 남편에게 무조건 순종해야 했던 삶과 친절하지 못한 남편과의 관계 등 그녀의 삶은 행복을 느끼기에는 힘들었을 것이다.

또한 과거의 한국은 남존여비 사상이 만연한 시대였고, 그러한 시대에서 교육을 받은 엄마는 아들이 하나인 것도 아닌데, 아들과 딸에 대한 차별을 많이 하셨다. 엄마의 이런 양육 방식에 나는 많은 부당함을 느끼며 성장했다.

엄마를 내 입장에서 바라보면 나에게 비추어지는 엄마는 냉정한 엄마였다. 따라서 엄마와 나의 관계는 좋은 관계는 아니었다. 인간은 부정적인 자신의 모습이 투영된 자식에 대하여 불편한 감정을 가진다고 한다. 내가 느꼈던 엄마의 냉정한 감정은 그런 것에서 기인했던 것이 아니었을까?

어릴 적에 내 내면의 아이는 상처를 많이 받았던 것 같다. 엄마도 본인의 내면을 볼 줄 몰랐기에 무의식적으로 나를 냉대했었기에, 나는 심각한 고립감을 느끼며 성장을 할 수밖에 없었다. 그리고 그런 엄마의 냉대에 나는 부당함을 가지기도 하여서 어릴 적부터 엄마로부터 경제적으로 독립을 꿈꾸고 고등학교를 졸업과 동시에 나는 엄마 품을 떠났다. 나는 늘 엄마로부터 자유롭고 싶었던 것이었을까?

그 후 오랫동안 엄마와 관계는 그냥저냥 지냈다. 또한 나는 세상을 혼자 살아나가기에 바빴고 엄마는 여전히 본인이 살던 방식으로 살기에 바빴다. 그러다가 엄마가 갑자기 쓰러지시고, 엄마가 환자로써의 긴 투병생활을 하게 되면서, 나는 내 삶 중에서 평생 가장 많은 시간을 엄마와 단 둘이 보내게 되었다. 지금도 그 시간이 가끔 생각나고 그때마다 엄마가 사무치게 그립다.

엄마가 돌아가시고 난 후 깨달았다. 내가 엄마 성격을 많이 닮았음을 알게 되었다. 엄마가 나에게 더 냉대했던 게 생김새가 아빠와 내가 닮은 것도 싫었지만, 엄마는 본인의 성격과 닮은 내가 자신의 삶을 닮아서 삶이 힘들게 살까봐 걱정한 마음도 컸던 것 같다. 엄마는 에니어그램을 몰랐지만, 8번 여성이 살기 힘든 한국 사회에서 살았던 삶을 본인이 경험했기에, 자신과 성격이 닮은 딸이 앞으로 살아갈 날들이 녹록치 않음을 알기에, 세상 속에서 잘 살아가게 만들어 주기 위해 더욱 더 엄격하게 대했던 것 같다.

나는 가끔 하늘을 날아다니는 새를 보면 엄마가 했던 말이 떠오른다. 엄마를 간병하는 병원에서 가끔 엄마를 산책시켜 드릴 때, 엄마는 본인이 다음에 또 태어 난다면 "새"로 태어나서 어디든 마음대로 날아다니고 싶다고 말하였다. 당시에는 엄마가 장애를 얻어서 스스로의 의지대로 자신의 수족을 자유롭게 하지 못하는 마음에서 그런 생각을 하는 정도로 생각했었다. 에니어그램을 배운 후, 당시의 엄마의 그 말에 내포된 많은 의미를 다시 생각해 보게 된다. 에니어그램을 접한 후에 엄마의 삶을 다른 관점으로 바라보면서 엄마의 삶이 얼마나 더 고통스러운지 느끼게되니, 그녀의 삶은 참 아프고 8번이어서 더 슬픈 삶이었다는 생각이 들면서 엄마의 삶이 아프게 다가온다.

간혹 사람들이 나의 가족 구성원의 수를 들으면 엄청 놀란다. 더불어 엄마가 딸을 많이 낳은 이유에 대해 아들을 낳기 위해 딸을 많이 낳은 거냐고 후속의 질문을 하기도 한다. 엄마의 자녀 중 첫째가 아들이며 이외에도 아들 둘이 더 있다. 즉 다른 이유인 것이다.

나에게는 5자매가 있다. 20년 전에는 그다지 놀랄 구성원의 수는 아니지만 한국의 출산율이 너무 낮은 관점에서의 요즈음 기준으로 보면 많은 수이기는 하다.

나를 포함한 6 자매가 각기 다른 색깔을 가지고 있다. 에니어그램이라는 관점에서 보지 않아도, 성장과정에서 6 자매의 많은 갈등이 있었을 것이라는 추측이 될 것이다. 성장을 한 후 각 자매가 각자의 가정을 이루고 살고 있는 지금도, "가지 많은 나무에 바람 잘 날 없다"는 옛 속담처럼 여섯 자매들이 아웅다웅 살아가고 있다.

여섯 자매 중 내 존재는 다른 자매들과 너무 다른 결이어서 자매관계에서 내 자신은 엄청 힘들었다. 또한 나의 가족관계의 분위기와 관습이 아랫 사람이 윗사람을 우대하는 절대적인 분위기였고, 나의 위치는 자매 중 서열에서 다섯 번째로 언니는 많고 여동생 하나뿐인, 즉 항상 언니들의 말을 잘 듣는 동생이어야 했다. 동생은 막내라는 특혜를 받고 있어서 자매들 사이에서 나는 외롭고 힘든 시간을 보내야 했다. 걸리버 여행기에서 주인공 걸리버가 여행 중 거인나라에서는 작은 사람이 된 것처럼, 다른 자매와 결이 너무 다른 나는 그들과 쉽게 섞이기가 어려웠다. 한 때는 내 자신이 문제가 많은 사람인가라는 생각도 많이 했던 것 같다.

에니어그램을 배우면서, 나는 내 유형을 찾는데 시간이 오래 걸렸고, 내 유형을 찾는 과정 중에 오히려 나의 자매들의 유형은 쉽게 찾았던 것 같다. 첫 번째로 찾은 자매의 유형은 여동생이다. 에니어그램으로 동생의 유형을 알게 된 후, 이전에도 동생과의 관계에서 내가 동생을 많이 이해하려고 했었지만, 더욱 더 동생을 이해하게 되면서 동생에 대한 나의 배려는 더 성장해가고 있다.

내 자매들에 대해 진단지를 직접 해 보지는 않았다. 오랜 시간동안 그들과 성장하고 살아오면서 경험했던 모든 것들과, 성인이 되어 각자의 가족을 가지고 살고 있는 지금의 관계형성 등을 생각하면서 내 자매들의 유형을 생각해 보았다. 지극히 나의 입장에서 관찰한 분석이기는 하나, 하나씩 찾아갔던 내 자매들의 유형들을 알게 된 후, 내 성장 과정이 왜 그토록 외롭고 아팠으며 힘들였는지 짐작을 할 수 있는 기회가 되었다. 딸 여섯명 중 4번이 2명, 3번이 2명, 1번이 1명이고 내 자신은 8번, 에니어그램 이론으로 보면 나의 자매들과 나는 서로 친밀한 관계가 되기는 쉽지 않은 유형들이었다. 유형이 미치는 영향도 있었던 것인지 모르겠지만 여섯 자매는 과거에도 현재도 달그락 달그락 거린다.

책과 영화에서 투영되어지는 내 모습

초등학교 시절, 억지로 쓰는, 선생님이 읽는 일기쓰기가 하기 싫어서 쓰기 시작한 '시쓰기'로 인하여 지금은 잘 안 쓰지만 시를 써오고 있는 나인데 메모, 낙서는 잘 하지 않는다.

유명한 작가들은 메모장을 가지고 다니면서 생각나는 것을 메모한다. 나는 떠오르는 시상들을 머릿속에 저장해 두고 그냥 나의 뇌세포 속에 감추어 두어서, 낙서라도 해야지 하는데, 이상하게 잘 하지 않게 된다. 이런 내 패턴은 어디서 오는 영향일까 생각해 본 적도 있다.

최초의 나의 낙서는 아마도 학교 수업시간에 공부하기 싫을 때 노트에 끄적끄적 이것저것 쓰고 그리기의 시작이 아닐까? 어느 날 보니, 그런 지저분한 나의 책과 노트를 보면서 그 습관을 고치기는 했다.

아예 낙서를 해놓은 종이는 따로 분류해서 낙서하거나 소장하지 않은 종이에 메모를 한다. 근래에는 페이퍼나 글로 관련된 작업을 해야 할 때, 글의 시작이 어려울 때 펜을 가지고 이면지에 국적불명의 이것저것을 적어본다.

대부분 나의 감정이 복잡하고 우울할 때 낙서를 하는 내 행동양상은 무엇일까? 스트레스를 내 안에서 해결해야 하고 해결하는 내 패턴에서 낙서는 남들에게 눈치 채지 못하게, 나도 힘들고 화난다고 말하는 나의 목소리가 인것 같기도 하다.

이런 이유로 나는 떠오르는 시상의 언어들은 남들이 내 감정과 심리상태를 알까봐, 종이에 적지 않고 머릿속에 남기고 있는 것 같다. '누가 볼까봐' 이 트라우마는 대가족이었던 성장 과정에서, 어릴 적에 내 일기장을 가족들이 몰래 훔쳐보았던 경험과 내 사적인 것들이, 가족들에게 공개되어 버린 악몽에서 기인했다. 누가 내 내면을 알아보는 게 싫은 습관에서 지금도 유지되고 있다. 은희경 작가의 말 중에서 글쓰기는 실패의 서사라고 했는데, 어릴 적부터도 내 실패의 서사를 가족에게도 보이고 싶어 하지 않던 이 양상은 결국 내가 에니어그램 8번임을 증명하고 있다.

낙서라는 매개체에서 에니어그램의 내 유형을 보이는 걸 보니, 에니어그램에 대해 내가 조금은 알아가고 있다는 위로를 지금 잠시 해 본다. 나에게 낙서란 '내가 나에게 보내는 작은 위로의 손짓이구나'라는 쓸쓸한 결론에 마음이 다시 멍 해진다.

가끔 '내 인생의 책을 한 권만 골라보세요'라는 질문을 받으면, 그 많은 책 중에서 하나를 고르는 것은 너무 힘든 일이다. 그래도 꼭 하나를 골라야 한다면 김형경 작가의 "사람풍경"이 아닐까? 김형경 작가는 내가 좋아하는 작가 중 한 명으로, 이 작가의 어떤 인터뷰에 의하면 소설가이지만 이 책으로 더 유명해지고 이 책 이후로 자꾸 심리관련 책 의뢰만 들어온다면서 자기는 소설가라고 말한 적이 있을 정도로 이 책은 오랫동안 사람들에게 사랑받은 책이다.

나도 이 책을 여러 사람에게 선물을 했었다. 이 책은 심리여행 에세이로써 작가가 여행을 하면서 여행 중 만남 사람, 사건 등을 통해서 심리분석을 한 수필집이다.

오래전에 "사회심리와 인간관리"라는 과목을 강의를 한 적이 있는데, 나는 이 과목을 잘 강의하고 싶어서 직접 심리상담을 받아보는 경험을 한 적이 있다. 당시의 상담경험은 상담자와 내담자의 관계에서 라포 형성조차도 못한 상담이었다. 상담단계에서 상담자와 내담자의 라포 형성은 상담의 기본 조건인데 라포도 형성이 안 되었으니 그 상담이 실패하는 것은 당연한 결과였다.

이 상담의 일이 있은지 오랜 시간이 흐른 후에 읽은 '사람 풍경' 책을 읽으면서 당시의 상담에서 문제가 무엇인지를 스스로 깨닫게 되었다. 이 책의 작가가 기술한 내용들이 나와 다른 상황의 이야기이고 분석인데도, 예전의 상담이 나에게 왜 도움이 전혀 되지 않았는지 알게 해 준 책이다. 더불어 이 책을 통해서 위로를 많이 받았던 것 같다.

영화나 드라마 결말의 행복한 내용을 좋아하는 성향은 현실의 불행을 회피하고 싶은 무의식이 나의 현실은 행복하지 못해도 미디어에서라도 행복을 가지고 싶은 욕구가 보이는 행복에 대한 욕망을 가지는 패턴에서 기인한 것 같다.

그런 나의 환상을 어쩌면 현실로 가능할 수도 있다라는 생각이 들게 해준 영화가 있다. '당신이 잠든 사이에' 이 영화는 90년 초반에 나온 영화로 산드락 블럭이 주인공인 영화로 결론은 남녀 주인공이 진정한 사랑을 찾는다는 것으로 나는 지금도 참 따뜻한 영화라는 생각이 드는 영화이다.

나의 영화 성향이 에니어그램 관점으로 본다면 현실적이지 못한 내용을 현실로 믿고싶은, 늘 행복한 결말을 꿈꾸고 좋아하는 것을 보면 나는 7번의 날개를 많이 사용하는 8번인 것 같다.

열심히 일해도 불안한 프리터족의 사회생활

인간의 첫 사회생활은 가족과의 관계에서 시작하는 것 같다. 특히 대가족 속에 살아온 나는 대가족이 가진 장단점을 경험하면서 경제적인 사회활동은 자의반 타의반 시작한 것 같다.

엄마와 살았던 고등학교 시절까지도 여러 가지의 아르바이트를 하면 학교를 다녔고, 밭농사를 했던 집에서 무임금의 노동을 정말 많이하고 자라서 한 동안은 농촌을 생각하면 아름다운 기억이 없었던 것 같은데, 세월이 흘러가니 그 또한 기억도 나쁘게만 느껴지지 않는 것이 역시 시간이 약이다.

나의 본격적인 사회생활은 대학입학과 동시에 자립을 하면서 학비와 생활비를 대부분 내가 충당해야 했으므로 선택이 아닌 필수로 시작하게 되었다. 아르바이트가 너무 힘들고, 나를 고용했던 사장들의 착취와 공정하지 못한 대우에 정식으로 사회생활이 되면 다르겠지가 생각했지만, 역시 학교를 졸업하고 직장인이 되었어도 사회는 공정하지 못했고 여전히 힘겨웠다.

태생적으로 꾀를 못 부리고 남에게 나쁜 말을 듣기 싫어서 열심히 사는 성향 탓도 있었고, 일복도 많은 나의 사회생활은, 일은 많이하고 월급은 적은 생활로 20대인 나에게 버거운 사회생활로 그려진다. 심리적으로 의지할 곳도 없는 힘든 타향에서 힘든 삶은 정서적으로 외로움을 더 많이 만들어 주었다.

타향에서 혼자 살았으니 집에서도 외로웠고 직장에서도 녹녹치 않아서 힘겨운 나날이었다. 많은 모임을 통해 사람들과 섞이고, 공부를 도피처로 삼아 위로를 받았으면서 간혹 사람들과 관계가 소원해도 견딜 수 있었다. 이 견디는 에너지는 나는 너희랑 달라 나중에 힘을 가지게 될거야 하는 8번의 논리가 작용했던 것이 아니었을까란 생각이 든다.

가끔 생각한다. 내가 사회생활 내내 사람관계에서 조금이라도 냉정했더라면 덜 아팠고 상처를 덜 받았을 것을, 왜 나는 유독 사람을 그리워했을까? 정말 8번의 유형의 본질이 사람에 대한 두려움으로 그런 지독한 외로움을 가져서 그랬던 것인가?

어릴적 부터 가지고 있던 가치관 중 하나, 나이에 밀려서 결혼이란 제도에 편승하지 말자였다. 그런 나의 선택 대신 무엇을 하면 좋을까라는 생각에서 직장생활을 잠시 멈추고 대학원을 선택했다. 타인의 지원없는 대학원생활은 학부 과정에서 혼자 모든 걸 해결하던 시절보다 더 힘든 나날이었다. 공부는 공부대로, 생활을 위해서 여러 가지 아르바이트를 하면서 지속하는 학업은 당시의 내 건강에 적신호를 만들었지만 마음은 미래에 대한 희망을 가지고 있었기에 힘겨운 홀로서기의 대학원생활을 버틸 수 있었던 것 같다.

박사학위를 받으면 나의 미래가 찬란해질 거라는 것은 착각이었다. 대학원 입학을 할 학교를 선택할 때 경제적인 이유가 가장 중요했고 현실적인 선택을 하는 8번이었던 나는 학부의 학교에 대학원을 선택했었는데 그 선택은 박사과정 졸업 이후 취업이라는 선택에 있어서는 불리한 조건으로 작용했다.

졸업이후 대학 시간강사, 사회과학 연구원, 학회 사무국장, 일용직 등 거쳐 오면서 외부 조건에 의한 프리티족이 되어버렸다. 프리터족은 자유롭다는 의미의 'free(프리)'와 임시직을 의미하는 'arbeit(아르바이트)'를 합성한 말로써 특정한 직업 없이 아르바이트로 생활하는 사람을 일컫는 말이다.

요즈음 MZ 세대는 자발적 프리터족을 지향한다고 하지만 나는 외부 조건에 의해 원하지 않는 프리터족으로 살아가고 있다.

몇 년 전부터 H학회의 봉사개념으로 참여를 하면서 인연이 된 L교수님과 주로 프리터족 형태의 사회과학연구원으로 연구 업무와 생활비를 벌기 위한 내가 할 수 있는 일들을 하는 일용직으로 삶을 이어가고 있다. 연구 업무의 특성상 주로 협업으로 이루어진다. 에니어그램 관점으로 이 협업의 과정에서 긴밀한 관계를 맺고있는 L교수님과 나의 관계는 내가 8번이기에 7번의 성향을 잘 볼 수 있었다.

7번의 교수님은 열정과 창의력이 많다. 7번이 1번의 에너지를 가져다 사용하는 경우는 일에 대하여 완벽함을 추구하는데, 교수님도 일에 대하여 완벽주의자였다. 타인으로 부터 지적당하는 것을 싫어하는 8번인 나는 일에서 완벽을 추구하는 교수님의 기준에 맞추기 위해 스트레스를 많이 받았던 것 같다. 7번의 경우는 과정을 즐기지만 8번인 나는 과정이 즐거워도 결과가 나쁘면 그 결과에 타격을 입는 유형이기 때문이다. 직장에서 발생하는 모든 일들이 매번 좋은 결과 만을 가져오는 경우는 없기 때문에 나는 나쁜 결과에 대해 내 능력을 의심하며 자책하는 경우가 많았던 것 같다.

8번 성향인 나는 의리를 중요시 하기에 오랜 시간을 7번 교수님과 함께 일을 하고 있다. 지난 시간동안 내가 일한 것에 따른 결과가 나오지는 않았지만 언젠가는 좋은 결과가 있을 거라는 순수함과 인연에 대한 의리와 일에 대한 책임감으로 묵묵히 일해 왔다.

직장생활이란 게 아랫사람은 윗사람의 태도가 만족스럽지 못해도 참아야 하는 게 대부분이다. 에니어그램을 배우고 난 후에 교수님의 성향을 알고, 교수님과의 관계에서 교수님을 이해하고 추후 교수님과 나의 관계에 대한, 미래에 대해서 좀 더 현명한 예측을 하게 되었다. 덕분에 나는 교수님과의 일을 할 때 대하는 마음과 태도가 달라졌고, 그런 변화는 나 자신이 상처를 덜 받게 되었으며, 또 현명한 선택과 일에 대한 방향성을 만들어내기도 하였다. 일로 만난 관계에서는 내 자신이 을인 경우는 갑에게 항상 약자이므로 갑에 성향을 잘 파악하여 대처방안을 만들어 내는 것이 슬기로운 직장생활인 것이다.

현재 나의 연구생활은 부하가 지도자형인 8 번이고 상사가 열정형인 7 번을 만나서 상사의 열정을 결과로 잘 만들어 내기 위해 나의 2번의 조력에너지를 정말 많이 쓰고 있다. 나의 상사가 나를 인정해 주지 않아도 결과가 좋은 경우 그 연 구는 성공을 한 것이기에 교수님의 인정과 대가가 많지 않아도 스스로 만족하고, 7 번 유형의 교수님의 성향을 쉽게 맞추기 힘들지만 맞추어 가면서 계속 연구생활을 하고 있는 것 같다.

교수님과 함께 지내온 시간동안 조력자의 에너지를 사용 하면서 7 번의 성향에 적응하는 것이 쉽지는 않았다. 예를 들면, 어떤 일을 추진할 때 7 번은 과정이 즐겁고 재미있으 면 그 일에 만족을 한다. 실제로 나랑 함께 일하는 교수님의 말에 의하면 본인은 어떤 일에서 결과가 나빠도 과정이 만 족스러웠다면 괜찮다고 말하였다. 에니어그램을 배우기 전 에는 그 말에 대해 공감하기 어려웠다. 내가 에니어그램을 만난 후, 7 번의 유형을 배우고 나니 교수님을 이해하는 나 의 폭이 넓어져서 현재는 교수님의 일에 대한 개념과 행동 양상에 대해 알게 되니 교수님과의 관계에서 7 번의 관점에 서 일을 처리하는 방식으로 생각해서 대처를 하니, 업무의 효율성과 갈등의 소지가 줄어들었다.

에니어그램을 모르고 내 본능의 방식대로만 생각하고 일

을 했다면 지금도 나는 여전히 교수님의 눈높이를 고민하면서 밤마다 남모를 눈물을 흘렸을 것이다.

'지피지기(知彼知己)면 백전백승(百戰百勝)'의 말에서 '적을 알고 나를 알면 백 번을 싸워도 위태롭지 않다'는 뜻처럼 즉 이 말은 적을 알고 나를 아는 것으로써 경쟁에서 이기는 방법인 것이다. 따라서 에니어그램을 알게 되면 직장생활에서 상사, 동료, 후배의 유형을 알 수 있게 된다. 에 니어그램을 적절히 활용하게 되면 그것이 바로 슬기로운 직장생활이 되는 지름길인 것이다.

가끔 이 교수님과 유형이 반대였으면 우리의 관계는 어떻게 되었을까 생각을 하면서, 앞으로 7번 교수님께서 8번이 가지는 리더 장점을 날개 에너지로 많이 가져다 쓰기를 원하는 나의 바램은 8번의 헛된 욕심일까?

Episode 6

나만의 오솔길을 찾아서

윤찬숙

나만의 오솔길을 찾아서

윤찬숙

"유한한 시간 속에서 삶을 탐구하며
주어진 소명을 찾아서 나만의 오솔길을 만들어 갑니다"

어린 시절 나는 생각이 많았다. 왜 존재하는지. 이 세상을
어떻게 살아가야 하는지에 대해서 생각했다. 또래들과 다르
게 나는 삶이라는 추상적인 생각들로 가득 차 있었다. 나는
왜 다른 아이들처럼 단순하지 않았을까? 무엇 때문에 저들
은 나와 다르게 생각하고 행동하는 걸까? 나는 왜 이런 거
지? 끊임없는 의문 부호를 가지고 머릿속을 가득 채운 질문

의 답을 찾아야겠다고 생각했다.

가장 먼저 책이 들어왔다. 그리고 이 세상의 진리라고 말하는 책을 읽기 시작했다. 묵묵히 혼자 답을 찾는 여정에서 우연히 에니어그램을 접한 그 순간, 그것은 삶의 커다란 전환점이었다.

에니어그램에는 나의 이야기가 쓰여 있었다. 나 같은 사람이 있었구나. 에니어그램은 어떻게 내가 알지도 못했던 나의 마음을 알고 있을까? 그 놀라움과 소름 끼침은 동굴 속에서 더듬거리며 빛을 찾는 나의 허무와 막막한 앞에서 쏟아져 들어오는 눈부심과 같았다. 경이로운 빛의 찬란함. 에니어그램이었다.

내가 어릴 때부터 찾았던 나의 존재 본질의 답을 만났다. 에니어그램을 더 잘 이해하고 나의 유형을 파악하게 되면 나는 더 행복해질 것 같았다. 그 후 조금씩 에니어그램을 공부해 나가면서 내 생각의 폭은 확장됐다. 점점 주변 사람들이 눈에 들어왔다. 천천히 타인이라는 세계를 이해하기 시작했다. 그들은 왜 말과 행동을 그렇게 했을까? 아. 그렇구나. 그래서 그럴 수밖에 없었구나. 타인에 대한 이해와 측은

함. 그리고 용서와 사랑을 가질 수 있었다.

에니어그램은 불안에서 벗어나 충만한 편안함을 가져다 주는 커다란 깨달음이다. 여러분도 에니어그램을 통해 깨달음의 경이로움을 한번 경험해 보시라. 알면 보일 것이다.

생각이 많은 영감 같은 아이

어린 시절 특별히 기억나는 것이 별로 없다. 가정환경은 그리 넉넉하지 않았지만 딱히 특별한 것도 없었다. 가정에서나 학교에서 나는 눈에 띄지 않는 존재였고, 혼자서 책을 보거나 조용히 나만의 공간에 있는 것을 즐겼다. 친구들의 관심사나 이야깃거리는 유치해서 끼어들지 않았다.

어릴 때 나의 별명은 영감님이었다. 아이들과 이야기하다 보면 '사는 건 다 그래'라는 영감님 같은 대답을 자주 해서 붙여진 별명이었다. 그때 아이들의 심드렁한 반응이 아직도 기억에 남는다. 그래서 그랬을까? 어느 순간부터 내 의견을 말하기보다는 영혼 없이 수긍하고 맞장구치며 수다를 떨었던 것 같다.

그러나 점점 연예인, 드라마 같은 잡다한 이야기, 옷, 외모 등등 소소한 이야기들에 시간을 낭비하고 있다는 불편한 감정이 들기 시작했다. 무슨 자만감이냐, 하겠지만 그냥 본능적으로 그렇게 중요하지 않은 이야기를 하면서 시간을 낭비하고 싶지 않았다.

내가 가지고 있던 존재의 의문 같은 것에 비해 다른 것들이 작아 보일 수도 있지만. 다른 면에서는 타인들에 휘둘리고 싶지 않은 마음도 있었던 것 같다. 누군가가 나를 좌지우지하는 게 싫었다. 내가 생각하고 고민한 생각들이 타인들 마음대로 판단하고 휘둘리는 것이 용납이 안 됐다 그래서 그랬을까? 나를 통제하려는 엄마한테 짜증을 많이 냈던 것 같다. 지금 생각해 보니 매우 죄송하다. 죄송해요. 엄마

6학년 방학 책을 100권 읽어오는 과제가 있었다. 나에게는 적격인 과제였다. 부친도 책을 좋아하셔서 우리 집에는 은근히 책이 많았지만 100권의 책을 읽기 위해서는 어른들이 읽는 세로로 된 책도 읽어야 했다. 그렇게 열심히 방학 숙제를 해서 100권을 채웠다. 그래서 그런지 지금도 세로로 된 책을 읽는데 큰 저항감은 없다. 내 생애에서 그때만

큼 단기간에 책을 많이 읽은 적은 없었던 것 같다.

지금 돌이켜보면 세계 문학 전집으로 선정된 책은 모두 그리 썩 좋은 것만 있었던 건 아닌 것 같다. 기존 사회의 고정된 가치관들을 사춘기라는 아주 예민한 시기에 접한다는 것은 내가 어른이 된 시대에 새로운 가치관을 받아들이는 데 있어 큰 걸림돌이 되기도 했던 것 같다.

세상에는 좋은 책도 물론 많지만, 쓰레기 같은 책도 많다. 반드시 타인의 생각을 내가 받아들일 때는 비판적인 사고가 필요하다. 쓰레기 같은 책을 구분하고 스스로 생각을 가지고 비판적 사고를 하며 세상을 통찰하려면 책을 많이 읽어야 한다. 많이 접할수록 그 안목은 생긴다.

지금도 다른 형제들에 비해 말도 안 하고, 친구도 없는 나를 보시며 어머니는 걱정하신다. 너는 친구가 없어서 어쩌니? 나는 대답한다. 제가 독서 모임에서 말도 잘하고 그래요. 아는 사람이 많다고 뭐 좋은가요? 골치만 아프지. 걱정하지 마세요. 나름 세상에서 자리매김하며 잘살고 있답니다. 어머니께서 걱정하는 말이 없고 사회성 떨어지는 나는 뜨거운 연애도 잘하고 결혼도 하고 애도 낳고 용돈벌이로 아르바이트도 하며 사회의 일원으로 잘살고 있다. 지금 글을 쓰고 책을 낼 정도면 굉장하지 않은가?

우연 같은 운명처럼 에니어그램을 만나다

사회성 없는 나도 아이들을 키우다 보면 어쩔 수 없이 동네 같은 학부모들과 친분을 쌓게 된다. 우연히 에니어그램 테스트를 해보자고 해서 심심풀이로 했다. 난 심리검사 같은 걸 무지 좋아한다. 그 당시에는 에니어그램 7번인 줄 알았다.

새로운 일을 시작하는 걸 좋아하고 재밌는 것을 쫓아다니며 굉장히 에너지 넘치게 살았던 시절이다. 당시 애 아빠 직장 때문에 낯선 지방에서 살던 시절이었고 많은 정보가 필요했다. 젊은 시절이었고 아이들도 어려서 주변 사람들과 관계가 중요하던 시절이었다. 아이를 매개체로 해서 활동도 많이 하고 에너지 솟구치게 이일 저일 모두 나서서 참여했던 것 같다.

그 후 정신없이 살다가 잊고 지내던 에니어그램이 다시 나에게 온 것은 서울로 오게 되면서이다. 경단녀를 위한 여성 능력개발 프로그램에서 직업 교육을 같이하던 선생님 중

우연히 에니어그램을 공부한 분이 계셨다. 우연처럼 느껴진 필연이었을까? 그분께 에니어그램을 배웠다. 그때 정확히 5번 유형임을 알았다.

신기하게도 그 선생님은 8번 유형이었다. 5번이 지향해야 할 성장 방향이 8번이다. 나는 8번을 무척 존경한다. 일을 추진하는 강력한 힘을 가지고 있을 뿐만 아니라 리더로서 큰 안목이 있고, 현실에서는 돌격 앞으로! 를 외치는 멋진 유형이다. 일을 추진하는 힘과 사람들과 관계 맺는 노련한 기술을 8번 유형을 보면서 많이 배웠다. 그분을 멘토처럼 따르고 그분처럼 행동하고 판단하려고 많이 노력했던 것 같다. 덕분에 그 시절에 에너지도 많이 받고 스스로 많이 변한 것 같기도 하다.

점점 나는 에니어그램에 깊이 심취했다. 책을 사서 읽고 공부하면서 에니어그램이라는 학문이 경이로웠고 나에게 큰 위로와 심리적 안정감을 주었다. 나 같은 사람들이 어딘가 또 있을 거라는 기대감 내가 이상한 사람이 아니라는 안도감. 아쉽게도 내 주변에는 나와 비슷한 성향을 보인 사람은 별로 없는 것 같았다. 같이 이야기를 나누며 생각을 공유하고 싶은데. 언젠가는 만나겠지.

나에게 지식 탐구는 운명의 수레바퀴

5번 유형은 머리형에 속해 있어서 생각이 많다. 겉으로 보기에는 말이 없고 감정을 표현하지 않아서 침착하고 조용해 보이지만 나의 머릿속은 매우 시끄럽다. 끊임없이 솟아나는 의문과 궁금함으로 시끌벅적한 장터 같다. 주변을 관찰하는 것을 좋아하고 호기심이 만발해서 무엇이든지 알고 싶고 근원적 원리를 찾는 것을 좋아한다.

무언가 꽂히면 해결될 때까지 생각을 계속 이어가거나 그 궁금함이 다른 생각 속에 파묻혀 있다가 순간 떠오르면 다시 고민하다가 우연히 해결될 때가 있었다. 모임에 나가면 일단 한발 물러서서 사람들을 관찰하는 것을 좋아한다. 겉으로 나를 드러내지 않고 사람들의 행동을 보면서 분석하는 걸 즐긴다. 사람들을 분석하다 보면 나름대로 기준이 생기고 나의 취향에 맞는지 상대를 가늠하게 된다.

먹는 음식은 까다롭지 않은데 인간에 대해서는 아주 까다로운 편이다. 서로 대화를 나누다 보면 내가 생각하는 기본적인 지식수준이나 의식 수준에 미치지 못한다는 생각이 들면 그 상대는 나의 호기심 밖으로 서서히 사라진다. 내가 호기심이 많고 지식에 대해 지나치게 관심이 많은 유형이라

모르겠지만 나는 기본적으로 생각하고 지식을 쌓으려고 노력하는 사람을 좋아한다. 그것이 지적 허영이라 말해도 상관없다. 알고자 하는 욕구를 가지지 않고 생각하기를 게을리하는 인간은 같이 하기 불편하다.

지식에 대한 끊임없는 욕구와 탐구는 어쩌면 5 번이 가진 수레바퀴와 같다. 그 지식의 수단 중 하나인 책을 나는 너무 사랑한다. 나는 책 중독자다. 쉼 없이 책을 구매하거나 멘토라 생각하는 이들이 소개하는 책들에 대한 집착은 거의 미저리 수준이다.

나에게 있어서 책은 정신적 생명줄과도 같다. 책을 뜯어 먹고 싶을 정도로 책이 좋다. 책은 정신적으로 지친 나에게 부드럽고 편안한 공간이 되고. 시끄러운 생각 속에서 빠져나와서 환상의세계로 이끄는 동반자가 된다. 책 속의 새로운 사상과 가치관들은 나에게 커다란 성장의 한 스푼이 되는 희열의 요소다.

그 지식을 하나씩 깨달아 가는 것은 현실이라는 뜨거운 사막을 걷는 나에게 한 모금의 단물처럼 절실하고 형언할 수 없는 큰 기쁨이다. 그래서 나는 살기 위해서 책에 집착하고 탐독한다. 책에 대한 나의 애정을 설명하기 시작하면 침

묵만 하던 내가 수다쟁이로 돌변한다. 과묵하던 내가 말이 많아질 때는 지식, 가치관에 대한 견해를 표현할 때이다. 타인의 지식이 궁금하고 같이 나누고 싶고, 그의 이야기를 들으며 새로운 가치관과 생각을 정립하고 더불어 성장하고 싶다는 큰 열망이 있다. 내가 가진 지식이나 견해를 표현함으로써 상대와 융합되어 성장하는 희열을 맞보고 싶다.

그러나 내가 알고 있는 지식이나 기술에 대한 수준이 높아져도 나는 겸손을 핑계로 앞으로 나서서 표현하는 걸 꺼린다. 아직 부족하다고 생각하고 끊임없이 수련해야 한다는 강박으로 계속 모으고 연구하게 된다. 대부분 사람은 내가 가진 게 무엇인지 알 수가 없겠지만 내가 말하지 않아도 나를 느끼는 사람들은 있을 것이라 기대한다. 나는 가만히 가진 것을 바라보고 쌓아놓음으로써, 홀로 바라만 봐도 행복한 지식쟁이가 되고 싶다.

지식을 가지고 싶다는 열망 속에서 안타깝게도 나는 스스로 에너지가 별로 없다는 생각을 많이 한다. 왜 그런지 이유는 알 수 없다. 그래서 나는 에너지를 소모하는 데 인색하다. 내가 인색하게 여기는 것들이 물질적인 것도 있겠지만 추상적인 개념으로 시간에 대한 낭비를 특히 싫어한다. 약속 시간에 대한 강박적 정확함을 추구하고, 소중한 시간을 쓸데

없는 이야기로 낭비하는 것을 지양한다. 그런데 약속을 잡으면 대부분 사람은 늦게 나타난다. 처음에는 분노가 치솟아서 적응하기 힘들었는데. 지금은 가방 속에 책을 넣고 기다리는 동안 책을 읽음으로써, 나는 책을 읽어서 좋고 상대는 늦음에 미안함이 없어서 좋다. 사람들은 만나면 지식을 공유하는 것보다 쓸데없는 이야기들에 에너지를 쏟는다. 처음에는 정말 이해하기 힘들었다.

모임에서는 나는 개인적인 이야기를 하는 것을 싫어할 뿐 아니라 지식과 정보를 제외한 신변잡기의 쓸데없는 이야기를 왜 하는지 알 수가 없었다. 그 불편한 감정으로 모임을 회피하거나 만남을 지속하는 것에 갈등할 때가 있었다. 그러나 나이가 들고 많은 경험을 통해 내가 사회적 동물임을 깨달았기에 참고 견뎌야 한다는 합리적 사고를 한다. 나는 고민했다. 왜 나는 쓸데없는 이야기를 하는 것을 싫어하는 걸까?

두 가지 이유가 떠오른다. 첫 번째 일상 이야기들은 내가 추구하는 지식의 가치에 비해 그리 중요하지 않다고 생각하고 있는 것 같다. 깊이 생각해 보면 내가 현실에 발을 붙이고 있지 않기 때문인 것 같다. 지식을 추구하면서 타인보다 많이 안다는 자신감을 스스로 만들어 주고 그것이 중요하다고 생각함으로써 나 스스로 현실의 고단함에 방어벽을 쌓고 있는 것 같다. 현실에 단단히 존재한다면 내 생각 속에서 머물며 세상을 한 발 떨어져 관찰하면서 안위하지 않았을 것이다.

두 번째, 타인과 소소한 이야기를 나눔으로써 서로 얽히고설키는 감정적 교감이 형성되는 게 무의식적으로 싫은 것 같다. 감정적 교감이 형성되고 친해지면 그에 따른 부담감과 인연의 얽힘이 부담스럽다. 나는 타인과 감정적으로 어느 정도 거리를 두는 것이 좋다.

작가 류시화가 성전의 기둥과 같이 사람과의 관계에서도 어느 정도는 거리를 두어야 한다고 했다. 만약 너무 가까우면 감정으로 애착이 형성되고 그 애착과 관심은 타인에 의지하고자 하는 욕구가 생기거나 서로 통제하고 싶은 맘이 들 수가 있다. 만약 내가 타인에게 영향을 주거나 휘둘리게 되면 나는 스스로 깊은 고민에 빠지게 될 것 같다. 내가 대단한 사람도 아닌데 타인에게 잔소리나 조언을 할 수 있겠나 싶다. 그리고 나의 주체성이나 독립성에 영향을 받는 건 나스스로 감당 안 되는 고통이다.

따라서 나에게 주어진 문제는 스스로 해결하려고 노력하

고 타인에게 조언을 구하기도 하지만 웬만해서는 책이나 정보를 통해서 문제를 해결하려는 의지가 강한 것 같다. 안개가 머물기도 하고 동물들이 오갈 수 있는 공간을 갖고, 어느 정도 거리를 유지하며 성전을 지탱하는 기둥처럼. 서로의 거리를 인정하며 관계를 유지하고 싶다. 유명한 소설 제목 중 '내가 누구인지 말할 수 있는 자는 누구인가?' 라는 책이 있다. 책 내용은 기억나지 않지만 언젠가는 내가 누구인지 말할 수 있어야 한다고 생각했다.

에니어그램을 공부하면서 나는 '내가 누구인지' 말할 수 있게 되었다. 막연히 피상적으로만 생각하던 나에 관한 생각이 에니어그램을 공부하면서 스스로 명확해지고 이해가 됨으로써 내가 원하는 성장의 목표 방향까지 뚜렷이 잡혔다. 지피지기라고 하지 않던가? 내가 나를 파악했으니 내가 어디로 어떻게 성장해야 하는지 나만의 오솔길이 보인다.

오솔길은 나 홀로 사색하면서 천천히 걷는 나만의 길이다. 그 오솔길 첫발을 디뎠다고 갑자기 길이 뚝딱 생기는 건 아니다. 조금씩 지치지 않고 나의 사색 길을 걷다 보면 뚜렷한 발자국이 생길 것이다. 나라고 인식했던 낯 뜨거운 나의 집착 덩이들을 하나씩 인식하고 관찰하면서 변화시키는 것. 그리고 그것을 깨달음으로 이어서 성장하는 것이 나의 목표다.

지금 당장 삶의 목표가 세계 평화나 굶주리고 소외된 사람들을 보살피는 거대한 것이 아니어도 된다. 내가 조금씩 변하면 나의 주변이 변하고 그렇게 성장하다 보면 내 주위가 평화로워지고 나아가 타인을 이해하고 돕게 될 것이다. 조금씩 더 발전해 나가면 세계 평화도 자연스럽게 이룰 것이라 기대한다.

에니어그램을 깊이 사랑하는 이유는 나 자신을 이렇게 긴 이야기로 표현할 수 있는 깨달음을 준 지식이기 때문이다. 에니어그램은 말한다. 인간 성격 형성은 가장 밑바닥에 있는 '두려움'에서부터 시작한다고. 두려움을 극복하기 위해서 욕망이 생긴다. 그 '욕망'이란 단순한 욕망이 아니고 '두려움'에서 시작된 '도피의 에너지'로부터 출발한 힘이다. 그 욕망으로 인해서 현실 왜곡이 생기고 그것으로 '집착'이 생긴다. 집착으로 인해 유혹과 함정에 빠지고 그 함정에 빠지는 자신을 보호하기 위해서 자기방어가 생긴다.

나는 블랙홀 같은 내적 공허함을 채워줄 도피로 '지식에 대한 탐욕'을 선택했다. 5번들은 지식욕이 강하여 불안한 미래를 위해 지식과 정보를 모으는 것에 집착한다. 세상 속에서 자신이 성공적으로 살아낼 능력이 없을 것이라는 내면적 불안감을 가지고 있다. 다른 사람처럼 일도 잘 해낼 수 없으리라 생각하는 두려움도 가지고 있다. 이것이 나의 삶의 늪이다.

깨달았다면, 이제는 바뀌어야 한다. 이제 나는 한발 발 앞으로 나아갈 것이다.

무소의 뿔처럼 그물에 걸리지 않는 바람처럼

에니어그램을 공부하면서 나는 많은 생각을 했다. 물론 기질적으로 항상 많은 생각 속에 빠져 있어서 정신이 너무 시끄러웠다. 시끄러우면 정작 들어야 하는 소리를 듣기 힘들어진다. 5번 유형의 근원적 문제는 자원과 에너지가 없다고 스스로 생각하는 것이다. 지식에 대한 탐욕이 일어나고 스스로 자원이 없다는 생각이 들어서 타인에게 인색하게 된다. 방어기제로 자원이 없다고 생각하니 자신을 보호하고자해서 에너지를 아끼려고 타인과 거리 두기는 한다.

그러나 이제는 알았으니 변해야 한다. 에니어그램을 통해서 내가 가지고 있었던 나의 행동 패턴을 조금씩 인식하고 관찰하면서 변화하는 방법을 깨달았다. 이제 성장할 일만 남았다. 성장하기 위해서는 위의 패턴을 끊어야 한다. '진짜 나'를 볼 수 있어야 한다.

50여 년 넘게 했던 나의 행동 패턴들은 무의식적 호흡과 같아서 부지불식간에 일어난다. 어떤 상황이 닥칠 때마다 인식할 사이도 없이 나의 패턴은 활성화될 것이고 방어기제로 안식처를 찾아 도망갈 것이다. 인색과 탐욕이 행동으로 표출될 것이다. 그것을 멈추기 위해서는 나의 행동을 관찰해야 한다. 그 패턴이 스멀스멀 올라올 때마다 알아차려야 한다. 그것을 바라보는 힘을 길러야 한다. 첫째 자신이 어떤 면에서 특히 인색한지 둘째 그 인색의 원인이 되는 탐욕 즉 집착이 무엇인지 셋째 그 탐욕의 원인이 되는 두려움이 무엇인지 알아내는 것이다.

나의 패턴이 보이면 다음에는 에니어그램 힘의 3가지 중심에서 5번이 사용하지 않는 가슴(감정), 장(행동)의 균형과 통합을 이루도록 노력해야 한다. 첫째 세상과 연결되도록 노력해야 한다. 꾸준히 나 자신에게 질문을 던진다. 내가 있는 주변을 둘러보고 알아차리지 못했던 모든 것을 나열해 본다. 간과하고 넘어가거나 새롭게 보인 것이 무엇이지 헤아려 본다. 현재에 존재할 때 우리는 모든 것을 알아차린다.

그러나 5번 유형이 생각 속으로 빠져들면 주변 현실을 알아차리지 못한다. 일단 주위를 둘러보자.

둘째 몸의 감각을 회복해야 한다. 5번 유형은 머리형이므로 몸에 무심할 때가 있다. 그래서 몸에 각별히 주의를 기울일 필요가 있다. 몸으로 움직이는 모든 것 (요가, 산책, 운동)은 자신의 신체와 감정이 서로 연결될 수 있도록 도와줄 것이다.

셋째 당신의 감정 경험에 대해서 글로 쓸 수 있어야 한다. 생각이 많은 5번 유형은 자신의 감정을 머리로 이해해서 해결했다고 판단하지만, 사실은 자신이 진정으로 느끼는 감정들은 표출하지 못하고 무의식에 깊숙이 가라앉혀 버린다. 그래서 감정을 표현하라고 할 때 어색할뿐더러 스스로 감정적으로 메마른 사람이라고 치부해 버린다. 감정 일기를 써보는 것도 좋다. 스스로 약속을 지키지 않았을 때 어떤 감정이 올라왔는지. 계획한 것을 못했을 때 어떤 느낌을 느꼈으며 이것이 내 생각에 어떤 영향을 미쳤는지 써보자

나만의 오솔길 찾아서

나는 스스로 삶에 대해 고민하며 오랜 시간 동안 치열하게 살았다고 생각한다. 성장이라는 목표를 두고 어떻게 살

아야 잘 사는 것인가에 대해 끊임없이 생각하고 찾아왔다. 그것이 본능적으로 에니어그램을 접하는 기회 마디마디에 서 끈을 놓지 않고 공부하게 된 것 같다.

나는 기본적으로 사는데 힘들다. 다른 사람들이 보기에는 열심히 잘 산다고 말하겠지만. 내 안의 나는 세상이 버티기 힘들다는 걸 뼈저리게 느낀다. 내 소원은 조용한 책들이 쌓여 있는 공간 안에서 살다가 책에 깔려서 죽을 때까지 나오지 않는 것이었다.

다른 사람들은 책을 진짜 좋아하는구나라고 짐작하겠지만. 나는 세상에 나서는 게 무섭고 두렵다. 세상을 헤치고 나갈 힘도 없을뿐더러 능력도 안 된다고 생각한다. 그러나 생각처럼 살 수 없는 현실이다 보니. 많이 부딪히고 모자라는 에너지를 쥐어짜서 현실 속에서 버틴다. 매번 현실 상황 속에서 무릎이 꺾이는 고통을 느끼지만 견뎌야 한다는 강박으로 다시 에너지를 모아서 일어나려 한다.

사회적으로 타인과 교류가 없다 보니 힘든 마음을 속 시원히 얘기할 사람도 없다. 타인에게 쉽게 나에 관한 이야기를 꺼내 놓지 못하는 성격 탓에 함께 나눌 사람을 만나기 쉽지 않다. 삶에서 나에게 남은 시간이 얼마가 될지는 모르겠

지만. 나의 생각을 나눌 수 있는 소울 메이트를 만날 기회가
있으면 좋겠다. 이제 나가야 할 길을 찾았으니, 어떤 힘든 상
황이 오더라도 묵묵히 가 보겠다.

최고의 목표에 이르기 위해 노력정진하고
마음의 안일을 물리치고
수행에 게으르지 말며 용맹정진하여
몸의 힘과 지혜의 힘을 갖추고
무소의 뿔처럼 혼자서 가라.
소리에 놀라지 않는 사자처럼
그물에 걸리지 않는 바람처럼
진흙에 더럽히지 않는 연꽃처럼
무소의 뿔처럼 혼자서 가라.
(불교의 경전 중)

부록 1

에니어그림의 이해

부록 1.

에니어그램의 이해

1. 에니어그램의 정의

에니어그램(Enneagram)은 아홉 가지로 이루어진 인간 성격 유형과, 그 유형들의 연관성을 표시한 기하학적 도형을 뜻한다. 에니어그램은 아홉 개의 점으로 이루어진 그림으로 어원은 그리스어에서 찾을 수 있다. '아홉'이란 뜻의 에니어(ennea)와 점, 선, 그림, 도형을 뜻하는 그라모스

(grammos)에서 나온 그램(gram)의 합성어다. 에니어그램의 기원은 정확하게 밝혀지지 않았으나 고대의 수많은 전통적 지혜에 현대 심리학이 가미된 인간의 성격유형론으로 정리되고 발전되었다.

2. 에니어그램의 역사

에니어그램(Enneagram)을 이해하기 위해서는 에니어그램의 상징과 아홉 가지의 성격 유형을 구분해야 한다. 에니어그램 상징은 고대에서 왔으며 그 기원은 2500 년 전으로 거슬러 올라간다. 1910 년대 에니어그램 상징을 서구사회에 처음 소개한 사람은 이바노비치 구르지예프(George Ivanovich Gurdjieff, 1887-1949)라는 러시아의 신비주의 학자에 의해서다.

정신과의사인 오스카 이카조(Oscar Ichazo)는 1950 년대 고대의 다양한 사상과 지혜를 결합해 에니어그램의 기본적인 원형을 완성했다. 그 후 심리학자이며 정신과 의사인 클라우디오 나란조(Claudia Naranzo)에 의해 현대 심리학이 추가되었다. 에니어그램은 심층 성격 심리학으로 발전되고 전파되었다. 미국의 돈 리차드 리소(Don Richard Riso)

는 각 유형의 발달 수준을 밝혀냈다. 그 후 러스 허드슨이 합류하여 '리소-허드슨 에니어그램 성격 유형 검사지'를 개발하였다. 리소와 허드슨은 에니어그램을 더욱 발전시켜 전세계에 널리 보급시켰다.

동서양의 지혜가 담긴 에니어그램은 1990년대 우리나라에 소개되었다. 에니어그램은 종교계, 교육계, 상담계, 비즈니스계, 의식성장 등 다양한 영역에서 자기이해와 다른 사람을 이해함으로써 변화와 성장을 돕는 심리학적 도구로 보급되고 있다. 2013년도 봄 학기부터 명지대학교 산업대학원에서 세계최초, 대한민국 최초로 에니어그램 상담심리 전공 석사 과정이 진행 중이다.

3. 에니어그램 아홉 가지 성격 유형 특성

에니어그램은 인간의 성격을 9가지로 분류하는 성격 유형론이다. 9가지 성격 유형은 세상을 살아가는 9가지 방식을 보여준다. 또한 세상을 바라보는 특유의 생각, 감정, 행동 패턴을 지니고 있으며 이것이 각 유형의 성격적 특성으로 드러난다. 세상을 살아가며 어떻게 생각하고 어떻게 느끼고 어떻게 행동하는지 9가지 특성으로 나타난다.

에니어그램을 통한 자기이해의 시작은 자신의 유형을 찾는 것에서부터 시작한다. 아홉 가지 유형에서 자신의 행동 특성을 발견할 수 있으며 이 유형들 중 하나가 자신의 기본 유형이 된다. 다음은 에니어그램 9가지 성격 유형 특성이다.

1번 유형(개혁가)

원리 원칙적이고 이상적이며 완벽을 추구하는 성격

모든 일은 자신이 세운 원칙과 옳은 기준에 맞춰 정확하게 해내야 된다고 생각한다. 자신만의 강한 의무감과 책임감으로 질서 있게 바로잡고자 한다. 올바르고 완벽하게 모든 일을 하기 위해서는 늘 긴장하며, 꾸준히 노력하는 과정을 중요시 생각한다. 사회생활이나 일 처리 등 타의 귀감이되는 전형적인 모범생 스타일이다. 뿐만 아니라 모든 면에서 제대로 해야 된다고 생각하고 그것이 제대로 되지 않으면 심하게 자신을 자책한다. 자신에게도 엄격하지만 주변 사람에게도 자신의 기준을 적용한다. 자기 기준에 도달하지 않을 시 즉각적으로 지적하고 간섭하여 바로잡아 주려하거나 개선하도록 충고한다. 또한 규칙을 지키거나 약속을 어길 때에는 대충 넘어가는 것이 없고 바로 지적한다.

2번 유형(봉사자)

친절하고 따뜻한 마음으로 타인을 도와주는 성격

다른 사람들의 필요를 재 빨리 알아차리고 적극적으로 도와주는 성격이다. 타인을 위해 일하거나 도움을 줌으로써 행복해한다. 상냥한 모습으로 생글생글 웃으면서 사람들을 대하기 때문에 많은 사람들이 좋아한다. 사람들과 좋은 관계를 유지한다. 자신보다도 남을 먼저 챙기고 배려하기 때문에 모든 에너지가 외부에 집중되어 있다. 상대의 장점을 발견하고 칭찬과 지지를 아끼지 않는다. 다른 사람들로부터 사랑받고 좋은 사람이라는 인정을 받기 위해 끊임없이 노력한다. 자신의 욕구는 억누르고 타인만 보기 때문에 감정이 억압되어 스트레스를 받는다.

3 번 유형(성취자)

목표 달성을 통해 성공 지향적인 성격

스스로 세운 목표를 달성하기 위해 열심히 노력하는 성공 지향적 성격이다. 끊임없이 또 다른 성취를 위해 달려가는 매우 활동적이고 바쁜 사람이다. 어느 분야든 탁월한 능력을 발휘해 결과물을 내놓는 능력자다. 늘 칭찬받으며 유능한 사람으로 사회가 원하는 롤 모델 역할을 한다. 과정보다는 결과물을 중요시한다. 건강에 소홀하거나 자신이나 다른 사람의 감정과 욕구를 무시하기도 해서 사람들과의 관계가 소홀해질 수 있다. 다른 사람들에게 성공한 멋진 이미지를 보여 주기 위해 외모, 직업, 명예를 얻으려 끊임없이 노력하는 사람이다.

4 번 유형(예술가)

감수성이 예민하고 독특함을 추구하는 창조적인 성격

나만의 특별한 개성을 추구하는 4 유형은 자신의 감정에 몰입한다. 타인들과 구분되는 자신만의 독창적인 면을 잘 드러낸다. 특히 따뜻함, 상냥함, 때때로 수줍어하기도 하고 외로움과 우울함, 분노 등 자신의 감정을 솔직하게 표현한다. 많은 사람들은 4번 유형의 변덕스러운 감정 기복을 힘들어하기도 한다. 현실적인 면보다는 자신만의 세계나 특별한 것에 끌린다. 모든 사물을 독창적이고 창조적인 시각으로 바라기 때문에 예술적 감각이 탁월한 성격이다. 긍정적인 부분보다는 부족하고 부정적인 면을 보기 때문에 우울한 감정에 빠지고 쉽다, 자신이 갖고 있지 않는 타인의 긍정성을 부러워하고 시기 질투하기도 한다.

5번 유형(탐구자)

지적 호기심이 강하고 분석적이고 이성적인 성격

강한 지적 호기심으로 세상의 모든 이치를 알고 싶고 이해하고 싶어 한다. 논리적이고 이성적인 성격이다. 객관적인 사실이나 정보를 책이나 인터넷에서 수집하기를 좋아한다. 필요한 것은 메모도 잘하며 차분하면서도 내성적인 사람이다. 특히 자신이 관심 있는 분야는 깊게 집중해서 무언가 할 때는 밥 먹는 것도 잊을 정도로 몰입한다. 사람들과 관계 맺기보다는 혼자 조용히 창의적인 생각하며 나름대로 즐거운 시간을 보낸다. 이때 강압적인 지시나 간섭하지 말고 혼자만의 사색할 공간을 확보해 줘야 한다. 다른 사람보다 세세하게 관찰하고 탐구하기 때문에 다른 사람이 보지 못하는 것까지 볼 수 있는 통찰력과 집중력이 있다.

6번 유형(협동가)

성실하고 책임감이 강한 노력파 성격

세상에는 위험하고 불확실한 것이 많아 모든 것이 걱정이므로, 자신을 안전하게 지켜 줄 것들을 찾으려는 성격이다. 예측 가능한 확실한 것과 질서를 원한다. 불안정한 미래에 대비해서 항상 그에 알맞은 적절한 대비책을 준비한다. 그러다 보니 안전에 대해 지나치게 걱정하고 대비하기 위해 늘 전전긍긍한 모습은 어떤 결정을 하는 데 우유부단해 보이기도 한다. 또한 자신에 대한 신뢰감이 없기에 의심하고 질문하고 또 질문한다. 미래에 대한 대비책 덕분에 다양하게 일어날 문제를 미리 발견하고 그에 알맞은 준비 능력이 탁월하다. 성실함과 책임감이 높은 성격이다.

7 번 유형(열정가)

유쾌하고 다재다능하며 늘 재미를 추구하는 성격

호기심이 많아 궁금한 것은 못 참고 늘 재미있는 것을 추구하는 성격이다. 이것저것 새로운 것을 도전하기를 좋아한다. 하지만 지루하고 재미없는 것은 못 참아 해서 금방 실증을 느끼기도 하며 곧바로 다음 활동 계획을 세우고 바로 실행한다. 세상의 모든 것이 재미있게 되기를 희망하는 유토피아적 이상주의 성향이 강하다. 종종 엉뚱한 말로 사람들을 당황하게 만드나, 워낙 성격이 밝고 명랑하며 유머 감각도 풍부해 늘 주변에 친구들이 많다. 삶 자체가 즐거움이기 때문에 살면서 오는 여러 가지 신경 쓰이는 일이나 어려움 등을 피하려 한다. 머릿속에는 늘 다양하고 재미있는 것에 대한 풍부한 아이디어로 가득 차 있다.

8 번 유형(도전자)

진취적이고 자기주장이 강한 리더자형 성격

무슨 일이든 '하면 된다'는 자신감으로 자신의 생각이나 느낌을 거침없이 당당하게 주장하고 힘 있게 추진하는 성격이다. 어렵고 힘든 상황이 닥쳐도 두둑한 배짱으로 밀어붙이는 대담성 있다. 지배욕구가 있어 가족뿐만 아니라 다른 사람들까지도 자기 뜻대로 통제하려고 한다. 자신의 주변에 있는 모든 것들을 보호하고 방어해 주는 의리가 있다. 부당한 일을 못 보고 바로잡으려는 정의감이 강하다. 힘과 에너지가 넘쳐 활동에 적극 참여하며 사람들과의 관계에서 주도적으로 이끌어 가는 리더십이 있다. 자신의 뜻대로 되지 않을 때는 화를 불같이 내거나 고집을 부리면서 직설적으로 대항하기에 상대가 당황하기도 한다.

9 번 유형(중재자)

느긋하고 온순한 안정된 평화주의자형 성격

주변 사람들과 갈등이나 충돌 없이 조화롭게 지내기를 원한다. 모든 사람들과 잘 지내는 원만하고 편안한 성격이다. 모든 것에 대해 좋은 게 좋다는 식으로 생각하기 때문에 어려운 상황에 처해도 꾹 참아 낸다. '어떻게든 해결되겠지' 하며 매사에 신경을 안 쓰는 스타일로 자신의 욕구를 주장하지 않는다. 자신의 생각이나 의견을 주장하게 되면 갈등이 생기는 것이 싫어 속으로 마음에 들지 않아도 무조건 "예"라고 대답한다. 하지만 마음에 들지 않으면 정작 자신이 원하는 행동으로 수동적 공격을 한다. 사물에 대해 보는 관점이 다양하기 때문에 신속한 결정 내리기 어렵다. 매사 느린 편으로 꾸물거리고 게으르며, 우유부단한 모습을 보이기도 한다.

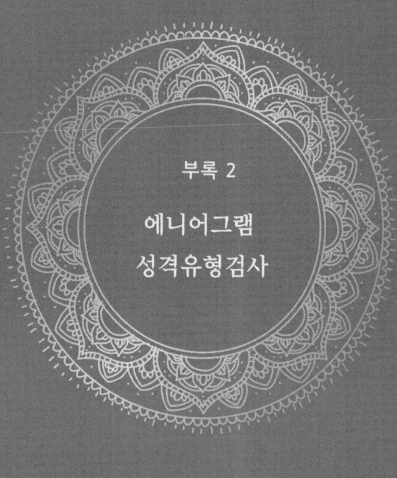

부록 2

에니어그램
성격유형검사

에니어그램 성격유형검사(EPTI)

Enneagram Personality Type Inventory

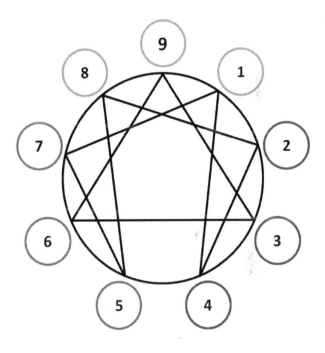

한국에니어그램경영협회
Korea Enneagram Business Association

에니어그램 성격유형검사(EPTI)

Enneagram Personality Type Inventory

에니어그램 성격유형 검사 방법 및 검사결과 확인

<검사 방법>

이 성격유형 검사는 인간의 능력을 판단하거나 평가하는 심리검사가 아니라, 개인의 성격 특성과 심리적 동기를 알아차려 자신과 타인을 이해하고, 수용함으로써 개인적 성장과 가정, 사회, 학교생활 및 일반적인 실생활에 도움을 주는데 그 목적이 있습니다.

각 문항을 체크하는 과정에서 의식적으로 깊이 있게 생각하지 마시고 자신의 생각과 느낌, 행동특성을 편안하고 자연스럽게 즉흥적으로 체크하시기 바랍니다.

에니어그램 성격유형 검사지는 총81개 문항으로 각 문항의 평가 점수는 5점 척도로 점수를 부여하시고, 자신이 이상적으로 바라는 것에 답하는 것이 아니라, 자신을 솔직하게 인정하는 답변이 자신에 대해 알아가는 최선의 방법입니다.

<검사결과 확인>

9가지 유형별 문항에 대해 왼쪽 점수란의 점수를 모두 더한다.

각 유형별 제일 높은 점수가 자신의 유형입니다 .

■ 다음 문항들은 여러분의 성격유형 특성을 알아보기 위한 것으로 그 문항이 자신을 얼마나 잘 설명하고 있는지를 판단하여 자신의 태도나 마음을 생각하여 솔직하게 답해주시기 바랍니다.

■ 검사지의 각 문항을 읽고 보기에 근거하여 자신에 해당하는 적당한 숫자를 점수란 ☐ 안에 써 넣어 주시기 바랍니다.

■ <보기>
전혀 아니다 -------------------- 1점
아니다   -------------------- 2점
보통이다   -------------------- 3점
그렇다   -------------------- 4점
매우 그렇다 -------------------- 5점

■ 검사지 및 응답지 예시

전혀 아니다	아니다	보통이다	그렇다	매우 그렇다
1	2	3	4	5

5	나는 사람들을 관심있게 대하고 따뜻하게 보살펴 주려고 한다.

에니어그램 1번 유형 질문

☐ 나는 옳고 그름이 분명하며, 매사 올바름과 완벽함을 추구한다.

☐ 나는 잘못된 부분을 잘 발견할 뿐만 아니라, 잘못된 것을
개선하고 싶어한다.

☐ 나는 모든 일에 실수하지 않으려 노력하다 보니 긴장되고 늘
시간이 부족하다.

☐ 나는 다른 사람들로부터 신임을 얻고 있는 편이다.

☐ 나는 타인이 원칙이나 질서를 지키지 않는 경우 화가 나며 때때로
비판적이다.

☐ 나는 못마땅한 마음은 들지만 애써 표정을 감추고 화를 드러내지
않는다.

☐ 나는 윤리 도덕적이고 자제력이 있다.

☐ 나는 모든 일을 정확하고 완벽하게 하기 위해 최선을 다해 끝까지
노력한다.

☐ 다른 사람들은 나와 함께 있으면 긴장된다고 말한다.

1번 유형 합계 ☐ 점

☐ 나는 사람들을 관심 있게 대하고 따뜻하게 보살펴 주려 한다.

☐ 다른 사람들에게 친절하게 도와주고 고맙다는 말을 들으면 뿌듯하다.

☐ 나는 타인의 필요 욕구를 잘 알아차릴 뿐만 아니라 그 욕구를 충족시켜 주려 노력한다.

☐ 나는 상대방에게 칭찬과 호의를 베풀면서 친해지려 노력한다.

☐ 나는 나의 욕구를 충족시키는 것은 이기적이라고 생각하기에 내 욕구는 억제한다.

☐ 나는 내가 보낸 관심과 호의를 몰라주면 속상하고 서운한 마음이 든다.

☐ 나는 다른 사람의 부탁을 거절하지 못한다.

☐ 나는 내 일을 끝내지 않아도 다른 사람의 일을 먼저 끝내도록 도와준다.

☐ 나에게 상처 준 사람이라도 사과하면 곧바로 눈 녹듯 마음이 풀어지는 편이다.

2 유형 합계 ☐ 점

에니어그램 3번 유형 질문

☐ 나는 다른 사람들이 나를 성공한 멋진 사람으로 보길 원하며,
나에게 환호를 보낼 때 힘이 난다.

☐ 나는 적응력이 뛰어나 상황에 맞춰 적절하게 잘 대응한다.

☐ 나는 성취욕구가 강하며 좋은 결과를 얻기 위해 지나치게
경쟁적으로 일한다.

☐ 나는 능력을 발휘하는데 많은 시간을 투자하고, 인정받을 만한
일이라면 최선을 다한다.

☐ 나는 실패한 것은 금방 잊고 목표 달성한 것이나 성공했던 일만
기억한다.

☐ 나는 성공한 다양한 사람들과 친분관계가 있는 것이 뿌듯하다.

☐ 나는 어떤 일을 할 때 과정보다 성과가 있는 결과를 중요시한다.

☐ 나는 바쁘게 일 할 때 에너지가 솟아난다.

☐ 나는 자기 개발과 새로운 목표를 이루기 위해 적극적으로 실행해
결과물을 얻는다.

3 유형 합계 ☐ 점

에니어그램 4번 유형 질문

☐ 나는 낭만적이고 예술가적 기질이 있으며, 남과 다른 나만의 고유함을 추구한다.

☐ 나는 섬세하고 민감해 감정적으로 상처를 잘 받으며, 슬픈 감정에 빠질 때가 많다.

☐ 나는 우울한 감정에 빠질 때가 많다.

☐ 나는 반복적이고 틀에 박힌 평범한 일상적인 삶을 살고 싶지 않다.

☐ 나는 영화나 드라마 속 주인공처럼 느끼고 그 감정에 훅 빠져들 때가 많다.

☐ 나는 다른 사람에게 있는 것이 나에게 없다고 느껴질 때 시기. 질투가 난다.

☐ 나는 감성적이어서 혼자 있을 때가 많고, 상상 속으로 빠져들 때가 있다.

☐ 나는 이방인처럼 느낄 때가 있으며, 타인들은 나의 깊은 감정을 잘 이해하지 못한다.

☐ 나는 분위기에 따라 감정 기복이 심한 편이다.

4 유형 합계 ☐ 점

에니어그램 5번 유형 질문

☐ 나는 사물의 원리나 세상의 이치를 머리로 이해하고 모두 알고 싶다.

☐ 나는 지적이고 현명하며 논리적, 분석적 사고로 요약을 잘 한다.

☐ 나는 머리로 이해되지 않거나 제대로 알지 못하면 행동하기 쉽지 않다.

☐ 나는 모든 것을 알고 싶기에 정보를 모으고 수집한다.

☐ 나는 조용히 생각할 나만의 공간과 충분한 시간이 필요하다.

☐ 나는 다른 사람들의 감정을 이해하지 못할 때가 많다.

☐ 나는 단체 활동보다 개인 활동을 더 선호할 뿐만 아니라 오히려 더 편하다.

☐ 나는 세상을 살아가는 데 많은 것이 필요하지 않기 때문에 최소한의 자원으로 생활하며 시간이나 돈을 아끼는 경향이 있다.

☐ 나는 친한 사람이라도 예고 없이 방문하거나 나만의 공간에 침범하면 당황스럽다.

5 유형 합계 ☐ 점

에니어그램 6번 유형 질문

☐ 나는 소속집단에 협력하고 규칙을 잘 따르며, 책임감이 강하고
성실한 사람이다.

☐ 나는 명확한 매뉴얼이 있을 때 일의 능률이 더 오른다.

☐ 나는 모든 일에서 안전하고 확실한 것이 좋다.

☐ 나는 불확실한 것은 원치 않기에 모험을 좋아하지 않으며 잘
도전하지 않는다.

☐ 나는 문제가 생기면 그 원인을 다른 사람이나 상황으로 돌리는
경향이 있다.

☐ 나는 매사에 걱정과 불안이 많으며, 확실하게 확인받고 싶을 때
질문한다.

☐ 나는 미래에 대한 의심과 걱정이 많아 미리 대비하고 확실하게
준비한다.

☐ 나는 믿을 만한 사람에게 충성하고 헌신하며 의지한다.

☐ 나는 결정하기 어려워 전전긍긍하며 주변 사람들에게 자주
물어보며 심사숙고한다.

6번 유형 합계 ☐ 점

에니어그램 7번 유형 질문

☐ 나는 충동적인 경향이 있으며, 갖고 싶거나 하고 싶은 것은 참기 어렵다.

☐ 나는 즉흥적으로 기발한 아이디어가 잘 떠오르고 상상력이 풍부하다.

☐ 나는 재미있는 계획을 세우고 그 계획을 상상하며 즐거워한다.

☐ 나는 정해진 일보다는 창의적이고 개성이 강한 나만의 창조적이고 자유로운 일이 좋다.

☐ 나는 호기심이 많으며 다방면에 재능이 많다.

☐ 나는 고통스럽거나 심각한 상황은 피하고 늘 유쾌하고 즐거운 분위기를 만들려고 한다.

☐ 나는 상황을 파악해 재빠르게 대처하는 임기응변에 능하다.

☐ 나는 지루한 것은 원치 않으며, 자극과 흥분을 유발하는 재미있고 흥미로운 것을 좋아한다.

☐ 사람들은 나를 분위기 메이커라고 말하며, 나와 함께 있으면 재미있고 즐겁다고 말한다.

7번 유형 합계 ☐ 점

에니어그램 8번 유형 질문

☐ 나는 지도자의 기질이 있어 앞장서 조직이나 그룹을 이끈다.

☐ 나는 자신감이 넘치며, 추진력과 결단력이 있어 바로 행동으로 옮긴다.

☐ 나는 내 뜻대로 결정하고 모든 상황을 주도하고 통제하고 싶다.

☐ 나는 불의를 보면 참지 못하고 대의를 위해 싸우는 것을 겁내지 않는 정의로운 사람이다.

☐ 나는 잘 몰라도 다른 사람에게 묻지 않으며, 도움이 필요해도 부탁하지 않는다.

☐ 나는 남이 내 잘못을 말하면 인정하기 싫어 도리어 큰 소리 칠 때가 있다.

☐ 나는 강한 자신감으로 사람들을 설득해 일이 진행되도록 동기부여를 한다.

☐ 사람들은 가만히 있는 나에게 위압감을 느낀다고 말한다.

☐ 나는 자기 주장이 강해 언어 표현이 솔직하고 직설적이나 뒤끝은 없다.

8번 유형 합계 ☐ 점

157

에니어그램 9번 유형 질문

☐ 나는 상대의 말을 잘 따라주며 수용적이다.

☐ 나는 조화롭고 평화로운 상태를 유지하고 싶어 갈등을
외면하거나 회피한다.

☐ 나는 어려운 문제가 생기면 시간이 해결해 준다고 생각해 그냥
내버려둔다.

☐ 나는 스트레스를 받으면 아무 생각 없이 멍해지거나 잠을 잔다.

☐ 나는 해야 할 과제를 끝까지 미루다가 나중에 한다.

☐ 나는 중요한 사람이 아닌 것 같아 뒤로 물러나 있는 편이다.

☐ 나는 평온하고 느긋해 급할 것이 없으며, 말과 행동이 빠르
지 않다.

☐ 사람들은 나와 함께 있을 때 편안하다고 말한다.

☐ 나는 다른 사람들이 하는 일에 상관하지 않는 편이며, 요청하기
전까지 나서지 않는다.

9번 유형 합계 ☐ 점

에니어그램 9가지 성격 유형 이름